AI支配でヒトは死ぬ。

―システムから外れ、自分の身体で考える―

養老孟司

ビジネス社

まえがき

昨今、世の中ではＡＩブームが起こっています。これを私は、近代の「科学主義」の果てにある現象だととらえています。

では、「科学主義」とは何か？　それは、世界のあらゆる現象をイコールで結んでいく運動のことです。たとえば、「この石」と「あの石」を見れば、その形も、重さも、その密度も違っているはずです。しかし科学では、それぞれ固有の違いを一度棚に上げて、「石」として概念化した上で、一括りにしてしまうのです。でも、言うまでもなくそれは、ヒトの脳が作り出した虚構の世界で、現実の世界ではない。むしろ、本来の自然は差異に充ちています。石でさえそうなので、植物や動物となればなおさらです。そして、一つ一つの違った感覚を受け止めているのがヒトの「身体」なのだとすれば、「脳」と「身体」は本来的にズレているということになります。

だから、ヒトの「脳」と「身体」は、常にバランスさせておくしかありません。しかし、システム化の進んだ現代社会では、「脳」ばかりを肥大化させようとしてきました。するとどうなるか？

ヒトとしての調子が狂ってきます。グローバリズムがその典型ですが、それは「脳」にとっては都合のいい世界でも、「身体」にとっては息苦しい世界になります。でも、そんな生きにくさに直面しても、意識のなかに住んでいるヒトは、それをまた「脳」で解決しようとします。しかし成功することは難しく、悪循環に陥る。ジレンマを抱えたヒトは最悪の場合、自らモノを考え、動くことを放棄して、死んだも同然の状況になってしまいます。昨今のＡＩブームがもたらす、恐るべき事態です。

この本のなかで、若い浜崎洋介さんを相手に、雑談も含めて、色んなことについて喋っています。基本は、「意識のなかに住んでいるヒト」とはどういう存在なのか、そこから、どうやって自由になるのかについての話になっています。

『表現者クライテリオン』に寄稿した原稿には、「ヒト一人、起きて半畳、寝て一畳、そっちが先だと思っていれば、あとはどういうことはなさそうに思うのだが」と書きましたが、それはそのまま、この対談のテーマにもなっていると思います。

楽しんで、読んでいただければ幸いです。

令和三年八月　　養老孟司

AI支配で人は死ぬ。　目次

第三章 「手入れという思想」～「バカの壁を超えるために」

第四章　「不気味なもの」との付き合い方

番外編

第一章

肥大化するシステムと、崩れ行く世間

表現者クライテリオンとの「縁」

——今日は、インタビューの時間を取っていただき、ありがとうございます。しかも、箱根の養老山荘という素晴らしい場所まで用意していただいて、編集部一同、先生にお会いできる日を楽しみにしておりました。

まず、読者のために、このインタビューが実現するまでの経緯を説明しておくと、現在、雑誌を盛り上げるために、表現者クライテリオン・メールマガジンというものをほぼ毎日配信しているんですが、ここに、時々「まさか」というような方々、たとえば元日銀副総裁の岩田規久男先生とか、ある国立大学の名誉教授の先生なんかから応援メッセージをいただくことがあるんですね。ただ、なかでも最も驚いたのが、養老先生からの感想メッセージでした。最初は、「養老先生の名前を騙った別人ではないか」と疑ったりもしたのですが（笑）、メールの内容を読むと、これは間違いなく養老先生だと。

たしか最初は、川端（祐一郎）さんが書いた「米軍が落とせなかった橋」というメルマガ（二〇一九年五月二十四日）に感想をくださったんだと思いますが、その後は、僕の記事に四回か五回ほど、ほとんど連続して返信をくださったと記憶しております。そうこうしているうちに、編集部のなかから、「ここまでしてくださるなら、対談かインタビューを申し込んではどうか」という話が出てきて、今回、こうしてお邪魔させていただくことになったという次第です。

まずは、どうして表現者クライテリオンのメールマガジンを読んでいらしたのか、そして、返信をくださったのか、そのあたりのお話からお聞かせいただければと思うのですが。

養老　**最初は、三橋貴明さんのメルマガが切っ掛けだったんですよ。それを定期的に読んでいて、その関係で送られてきたのかなと思ったんだけど。関係ないのかな。**

——直接の関係はないんですが、三橋さんには、時々寄稿をいただいたり、令和ピボット運動（反緊縮、反グローバリズム、反構造改革への政策転換を呼び掛ける国民運動）なんかで協力しあっている関係ですね。

養老　**ＭＭＴ（現代貨幣理論）なんかの記事を読んでいたら、表現者クライテリオンのメルマガが入ってきたんで、どこかでつながっているんじゃないですか。**

――三橋さんが主宰しているメルマガに、藤井編集長もお書きになっているので、その関係かもしれませんね。ということは、最初は経済にご興味があって。

養老　いやないんだけど（笑）、ちょっと勉強してみようかと思って。それだったら三橋さんのメルマガは懇切丁寧に説明してくれるので。僕は経済学なんて、もう六十年前だし、当時は「たばこの値段はどう決まるか」なんてやっていたくらいで、経済ってなんだっていまだに分からないんですよ。

僕は、よく伊藤元重さんなんかと一緒になるんですけどね、ただ伊藤さんは、いかにも専門家で、三橋さんみたいに乱暴には書いてくれない（笑）。

――その延長線上で、表現者クライテリオンのメルマガに行きついたと。

養老　ええ、それで読んでいたらいろいろ真面目に書いているなと思って。僕は政治がダメだから勉強になるなと思っていたら、それ以外のことにも触れていて、「ちょっと、よくやっているわい」と思って（笑）。

――若い世代の書くものもよく読まれているんですか。

養老　若い人が書いたものを目にする機会は、実は、あんまりないですよ。一般の総合誌を見ていると年配の人が多いでしょう。でも、あれは、あんまり読みたくない

（笑）。あと、メルマガのほうが制約があまりないでしょう？　だから本音というかそれに近いところが出ている。雑誌だと、どうしても編集の手が入りますからね。絶対に触れちゃいけないことがいくつかあって、差別問題と、皇室問題と、特に新聞はこの二つはすごいですよ。

保守思想と西部邁について

――なるほど、そういう経緯だったんですね。僕のほうは、実は物書きになる前まで塾の講師を長くやっていたんですが、そこでよく、先生のお書きになったものを拝読させていただいていたんです（笑）。

養老　ああ、そうですか。

――ただ、今回、改めてこういう機会をいただいて読み直してみると、実は、養老先生の考え方――たとえば、脳（意識）ではなく身体（無意識）、都市ではなく田舎に気を配りつつ、それに「手入れ」をしていくという思想なんかは、人間の理性の限界を自覚しつつ、漸進的に変化していこうとする保守思想に近いのではないかという気がしたんですが。

養老　どうですかねえ。必ずしも「保守」だと言う必要もないかもしれないけど、いわゆる左翼でないというのはそうかもしれない。若い時に、左翼は、さんざん相手したからね。皆さんは全然記憶がないでしょうけれど、うちの兄貴が私より九つ上で、おととしなくなったんですが、彼なんかは、皇居前のメーデー事件に行っていますからね。

うちに来ていた人たちって、けっこう当時の共産党系の人たちも多かったし、名前は忘れちゃったんだけど、いろんな人と議論してきた。そのあと大学に入ってからは学生運動でしょう。自治会の連中と一番親しかったけど、だから、その後が大変でしたね。そういう意味じゃ、ほとんどそういうのばっかり相手にしてきた。保守は事件にならないんですよ（笑）。

——事件を抑制する側ですからね（笑）。

養老　あと、右翼でいえば、せいぜいヤクザの元親分と付き合っているくらいで。これは元患者さんなんですが、偉く感謝されてね。

——そういえば、先日発表された小林秀雄賞の選評では、「西部邁」の名に言及されていましたが、養老先生と西部先生とはご関係はあったんでしょうか。

養老　**実は、西部を知ったのは、学生運動の頃ではないんですよ。もっとずっと後でしたね。ほとんど同じ年ですけど。一年違うかな。**

――平山周吉さんの受賞作『江藤淳は甦える』の選評で、西部先生について言及されるというのは、なかなかユニークだと思ったんですが（笑）、何かお考えがあったのでしょうか。

養老　**似ているでしょ。**

――あの二人が。

養老　**ええ。僕はすごく似ていると思う。そんな印象ないかもしれないけど、一つはね、二人とも体が小さいんですよ。それはね、結局、僕らの世代で小さいと、何かどこかで、肩に力を入れていないとやっていけないところがあるんですよ。でも、それも少しずつ変わっていくものなんですが、あの二人は変わらず力が入っていた。突っ張り続けた。**

――西部先生自身は、江藤淳のことをけっこう嫌っていましたが（笑）、でも、嫌うということは、それなりに意識されていたのかもしれませんね。

養老　通じるところがあったんじゃないですかね。でも、江藤さんが嫌われるのは、分かりますよ。あの突っ張り方は尋常じゃない（笑）。

――養老先生も、ずっと横目に見ながらという感じで？

養老　ちらっとね。あんまり直接には関係がないんですが、それでも江藤さんは、僕が客員で行っていた大正大学で同僚だったし、そこで、同じく鎌倉に住んでいたインド哲学の辛島（昇）さんとも一緒になったんですが、僕が定年になってからも、江藤さんは大正大学にいたんじゃないかな。それで江藤さんとは、鎌倉の駅のホームで時々会ったんですよ。井上ひさしともよく会ったけどね（笑）。

「重層的決定」を生きる脳

――たしか、養老先生の『バカの壁』が出たのが二〇〇三年だと思うんですが、実は、今、そこで書かれていたようなことが、続々と当たってきているように思っていまして。

たとえば、特に九〇年代頃からの現象なんでしょうが、日本人が、たいした根拠もないままに「財政破綻」や「財政再建」の観念にとらわれはじめ、それゆえにますますデフレ脱却から遠ざかっているというような不条理な様を見ていると、つくづく人は「バカの壁」（ある前提から導かれる思い込みの壁）から容易に自由になれないんだなと思い知らされるわけです。そんなこともあって、養老先生から応援メールをいただいたのかなと勝手に考えていたのですが（笑）。

養老　読んでいれば、「この人はちゃんと考えているか、いないか」は分かる。間違っていようが、自分で考えているものは「通じる」んですよね。そこですよね、一番は。

「自分で考えていない」っていうのはおかしいんだけれど、やっぱり伊藤さんの書くものは、だいたい想像がつく（笑）。ある約束事があって、その約束の中にいるんですね。

それで思い出したから、最近知った面白い話をすると、アメリカの脳科学者のリサ・フェルドマン・バレットという人が、『情動はこうしてつくられる』（紀伊國屋書店）という本のなかで、そんな約束事が作る世界のことを「社会的現実」というふうに呼んでますね。

それで、人間にとって最も基本的な「喜怒哀楽」でさえ、その約束事の世界から免れないというんですよ。要するに「情動」には、思いのほか脳科学的裏付けがないというか、何をもって「喜怒哀楽」というのかが怪しいという話なんですが。

——「情動」というのは、科学的実体であるというよりは、ある種のルールだと。

養老 この二十年から三十年で脳科学って、生きている人の脳で何が起きているか、どこが働いているかを見ることができるようになった。僕らが習った古典的な脳科学では、脳に電極を突っ込んだりして、脳の「地理」に詳しくなるしかなかったんですが、最近はMRとか脳波測定なんかで、機械をつけているだけで、被験者に害が出ないような形で、脳の様子を外から観察できるようになった。それが非常に進んで、データを見ると、何をしているときに、脳のどこが働いているかが見えるようになった。

でも、データがたまってみると、むしろ「喜怒哀楽」については、脳の場所がはっきり特定できないことが分かってきた。「喜怒哀楽」といえば、大脳辺縁系といって、とりあえず古い脳が使われていると教えられてきたんだけど、当然、そこだけが働いているわけじゃなくて、脳全体が働いているんですよ。意識とか記憶は典型的で、記憶の場所とか、意識の場所があるわけじゃない。記憶するには海馬の働きは必要だというのは分かっても、海馬のなかに記憶が入っているわけじゃない。だから、働きを特定箇所に還元できない。

脳科学は、昔から「局在論」といって、「言語だったらこの部分」という形で機能を特定しようとしてきたんだけど、それだけでいいのかというと、そうじゃない。たしかに、そこが故障すると言葉が出ないから、それは必要条件ではあるんだけど、「そこがあったら言葉ができるか」というとそうでもない。だから「局在論」では十分ではないんですね。

そこから、「局在論」に対して「全体論」が出てくるんだけど、その一番分かりやすい例が「喜怒哀楽」についての議論。つまり、僕らが「怒っているときは、脳のこの部分が反応している」という話が、なんと成り立たないんですよ。データがバラバラなんですね。

たとえば、怒っているときの表情ってあるじゃないですか。解剖学的にいえば、顔の筋肉は三十あるんだけれど、心理学者は写真などを使って「これは怒っている表情だ」とか定型化する。そしたら、その定型に合わせて、どの筋肉がどのくらい緊張しているかを測ればいいということになるでしょう。でも、そうやって測っても、細かいデータが一致しない。

——つまり、一つの出力（表情）に対して、多くの原因（働き）が複雑に絡み合っていると。

養老 よく一致しても四十%くらいしか一致しない。

——なるほど、脳も「重層的決定」なんですね。

暗黙の了解で成り立っている「社会的現実」

養老 だからね、俳優さんが演技ができる理由が分かったんですよ。つまり、怒っている「ふり」が何でできるかといえば、それは、「脳」と「表情」が一対一対応してないからですよね。そのときの俳優の脳みそを見たら、当然、怒ってないんだよ、みんな騙されているだけで（笑）。いろんな脳を比べてみれば分かるけど、同じ「怒る」でも、みんな違うんだよ。

そこから、さらに比較文化論みたいな話につなげてみれば、アフリカのある部族には、「喜怒哀楽」という概念自体がないらしい。「あいつがあいつを蹴った、殴った」という話はあるんだけど、それが「喜怒哀楽」という概念には結びつかない。ここまでくれば、外に現れたものしか扱えないというアメリカ流の行動心理学の世界ですよ、完全に（笑）。

もちろん、共通するものが絶対にないかというと、それも違うと思うんだけど、情動についての固定的な経路はまだ見つかっていない。面白い時代になった。

——人間にとっての基本的単位である「喜怒哀楽」でさえ、ある共同体の成員が作り上げた言語ゲーム的な「生活形式」であるかもしれないということですね。

養老　そう、「理屈」が人によってバラバラなのは分かるけど、だいたい同じ「情動」でさえ、今までに集めたデータでは、「怒っているときには脳がこういうふうに動いています」という話ができなくなっちゃった。「喜怒哀楽」なんて、そもそも目が見えない、耳が聞こえないという状態で生まれてきた子どもでも、一定の発育期間が過ぎるとちゃんと出てきますからね。だから、生まれつき持っているものだと思っているし、そういう部分があることは間違いないと思うけれど、その共通性は、いまだに上手くまとめられていない。

でも、逆にいえば、それでも社会生活が大きく混乱しないのは、やっぱり人が「暗黙の了解」で決めているルール、その「社会的現実」の力が大きいんじゃないかと。ただ、そうすると、その「約束事」が暴走すれば、かなり危ないことにもなりかねないんですね。

政治を見ていてもそう思うけど、特に僕らは敗戦を経験しているでしょう。昭和二十年の八月十五日、あれで「社会的現実」がガラッと変わった。江藤淳も西部も、そういうことが意識の底に絶対にあると思う。そうなると、いったい何を信用すればいいのかというのは、かなり大きな問題で、信用するときの基盤は、僕の場合は脳科学になるんだけれど、今言ったように、その基盤自体が実は怪しいんですよ。振り出しに戻るというかね（笑）。

だから結局、文科系も理科系も、細かいことは見ないことにしておいて、「約束事」でできているんですよ。「喜怒哀楽」なんかの分かり易い枠組みを、お互いに使うしかないんですよ。もっと丁寧に見れば、はっきりしてくるかもしれないけれど、そんな暇ないでしょ（笑）。

脳は「違う回線」を使って「同じこと」をする

養老　とにかく六十億人もの人間が、脳の「違う回線」を使って、「同じこと」をしている。たとえば物理学者のファインマン先生が、高校生の頃のことを自伝に書いている。

彼は何をしたかというと、百まで数えたら何秒かかるかを測った。すると彼の場合は、五十四秒かかった。何度やっても五十四秒だから、彼は自分で不思議に思って、体の中できちんとしたリズムを刻むのは誰がやっているんだろうと考えたらしい。それで、高校生のファインマンは、まず「心臓だ」と思い、階段を走って上まで上がって、心臓を動かしてみた（笑）。そのあとでまた黙って数を数えたんだけど、やっぱり五十四秒で、心臓は関係ないと。

それで、ある日ファインマンは、その話のついでに、数を数えながらでも本を読めると友達に話したら、友達は「そんなはずない」って怒りだした。数を数えながら本なんか読めないと。今度はファインマンもびっくりして、「読めるだろ」と言ってけんかになった。

　それでしょうがないから、二人で実験をしたんですよ。本を読みながら数を数えてみたら、ファインマンは、やっぱり五十四秒で百まで数えられたと。しかも、「本に何が書いてあったか」と聞くと、ちゃんと答えられる。だから読んでいたと分かる。

　一方友達は、「数を数えながら本は読めないけど、おしゃべりはできる」と言う。今度は、ファインマンのほうが「そんなわけないだろ」と言って、実験をすることになったんだけど、たしかに話しながら数を数えることができるんで、お互いに「お前、どうやっているんだ」と。どうも、ファインマンのほうは、頭の中で声を出さないで数えていたようなんだけど、友達のほうは、日めくりカレンダーをめくるようにして数を数えていた。

　これ、日本人だったらそろばんですね。よく暗算をそろばんでやるでしょう。そうすると視覚は使っているけど、音は使っていないから、計算しながら喋れる。つまり、声を出さないで数を数えるという同じ作業でも、人によって全く違うルートを使っている。おそらく、「同じこと」でも、頭の中では、全く「違う回線」を使っている可能性がある。

――面白いですね。これは、よく言われることですが、生まれてすぐの脳は、ネットワークを過剰に作り出しておいて、それを後で環境に刈り取らせて、十歳頃にはシナプスを半減させるらしいですが、ということは、そのときのネットワークの刈り込み方次第では、一見同じことをやっていても、ルートが違ってくることがありうるわけですね。

養老 基本的に神経系は間引きで成立していますからね。必ず余分に作って、使わないところを落としていく。神経細胞は胎児のときから落ちて数が減ってます。それは基本的なルール。生殖細胞もそうですよ。女性の卵子もものすごい減り方ですよ。だって月に片側の卵巣から一つでしょ。片側だけで年に六個を出すために、生まれた時には百万の桁ですよ。だからほとんど使わない。とにかく生き物は、大事なところは間引いて使っていく。

「カオス」のなかから「社会的現実」を作り出すこと

――生命の戦略は「選択と集中」ではなくて、「過剰と間引き」なんですね。

養老　生物というのは「間引き」で成立している。だから、神話や物語なんかで、最大の悪として描かれるのは、だいたいカオスですよ。カオスというのは、要するに何も間引いていない状態。われわれは何でもかんでも平等には扱えない。ところが熱力学は、たちが悪くて、すべての粒子が平等に動くという想定をするんです。それがエントロピーを生み出すんだと。

でも、これは、常識とは逆の発想ですよ。しかも、高校までの物理では熱力学はやらないので、いわゆる理科系でない人には、この話はかなり「入ってない」。

——後で入れましたが、たしかに、入りにくかったです（笑）。

養老　熱力学ってのは、常識に反するんですね。そんな世界見たことがないからね。

たとえば、こう思ったことありません？

僕は化学が得意じゃないんだけれど、なぜかというと水の分子構造は「H２O」だと言うでしょ。だけど「水の分子は全部同じなのか」という疑問が起こるんですよ。誰がそんなことを証明するんだ、と。測定に引っかからないから同じだということにしてるだけなんだよ。もし分子個々の違いが測定に引っかかるようにしたら、全部違うからね。要するに、細部を無視して乱暴に見ているんですよ。
熱力学も典型的にそうで、もっと極端にいうと、予め共通点を見出すために、「あれとこれは似ている」と言っているだけで、実は、違うところも無限にあるんですよ。

――なるほど、今の話をお聞きしていると、先生の考え方の基本は、そういった自然の「カオス」を前提にしながら、そこから上手く類似点を掬い取ってきて、それに手を入れつつ、整えていくしかないだろう、というようなところから来ているような気がするんですが。

養老 そこからってわけじゃないんだけれど、考えているとそっちに行っちゃうんですよね。人間が作っているに違いないとか。それが、今言った「社会的現実」っていうね。

怒りの情動ルートは一致さえ怪しいんだけど、表情が一致しているから怒ってると見做《みな》しているだけで、なかには詐欺もあるし、フリもある。でも、細かいことを言っていたら切りがないから、それは例外としてはじいておいて、「怒っている」ことにしておくと。

しかも、何について怒っているのかと考えても、「安倍はけしからん」と怒っているのと、「女房がけしからん」と怒っているのとは全然違うでしょ（笑）。同じ「怒り」でも、それが公憤なのか私憤なのかで、文化によって全く違う単語があるというしね。

ベルグソンと「専門家の壁」

――実は、先生の話を聞いていると思い出すのがベルグソンなんです。ベルグソンも、当時、最先端の脳科学や認知心理学の知見を取り入れながら、独自の生命思想を作っていった哲学者ですが、それとすごく近いものを感じます。

養老　そうですか。

――先ほどの「間引く」という話もそうなんですが、ベルグソンも、無限の差異を紡ぎ続けている潜在的、時間的自然から、ある「型」を切り取って、それを空間化し、有意味化することこそが生物の生存戦略だという話をするんですね。たとえば、波の音なんかを聞いていても、本当は、一回一回違っているはずなんですが、それでも人間は、それを「ザッパーン」と表記することで、ある現実を切り取り、それを交換可能な情報にして有用化しているのだと。

でも、ということは、僕たちが認識している「現実」というものは、必ず「ノイズ」を切り落とした後の「情報」なので、それを「現実そのもの」だと考えてはならないということにもなるわけです。要するに、人間の認識には、どうしても盲点が存在しているということなんですが、その盲点をどれだけ自覚できているかが人間の場合は決定的なんだと。それが、ベルグソンの場合、空間化（記号化）することのできない、時間的記憶（持続）という話にもつながってくるんですが、それと非常に近い感じがします。

養老　そのことを日本ではっきり書いているのは丸山眞男ですね。要するに、現実は無限に複雑で、学者はそれにふるいをかけて枠組みをイメージする。だけど同時に、ふるいの輪から漏れた無限の現実に対しての愛情、関心を持っていなければならない。学者はそうでなければならないと書いている。

――本当に、そうですね。しかし、最近は無限の現実に対する愛情もクソもなくて、専門主義がまかり通っている。特に経済学は現実に対する影響が大きいので困ります。

養老　外から疑問を呈しても、素人が何を言ってるんだと。

――そうなんです。しかも、どんなに間違っても、彼らは「専門家（バカ）の壁」で守られているので、ますます傲慢になっていくという（笑）。完全に悪循環ですね。

養老　それを僕は「前提の問題」というふうに言うんです。前提を固定してしまうと、そこから、とんでもない結論に行ってしまう可能性がある。

「データ」が「現実」になってしまった時代

――丸山眞男は、まだ「ふるいから漏れた現実」の手触りを知っていたのだとすれば、これは、どこから変わってしまったんですかね？

たとえば、東大生でも、戦前生まれは偏差値とは関係なかった。それが、偏差値教育が加速するに従って、次第にエリートの質が変わっていったというようなことを、養老先生もどこかでお書きになっていたと思うのですが。

養老　それは今考えている問題で、大問題ですね（笑）。言い換えれば、これは、いつから「統計」が「現実」になってしまったのかという問題ですよ。「統計」を「データ」と言ってもいいけど、今や、ビッグデータを分析するＡＩが「現実」を作り出している。

ただ、それも医療現場でははるか前から始まっていてね。肉体を持った患者さんがどこかに行ってしまって、検査の結果だけが「現実」になってしまった。正常値から外れた数値を、正常値に戻すということだけが医者の仕事になっている。その仕事が、その患者さんとどのくらい関係があるのかというと、実はもうほとんど関係ないんですね。

僕は解剖学だから、自分では患者さんを診ないんだけど、昔は東大の医学部にいたので、患者さんを紹介することはあった。それで、治療が終わった患者さんがお礼を言いに来ることがあったんだけれど、何を言うかというと、「担当の先生は、顔も見ないんです」という例の文句ですね（笑）。「カルテを診て、パソコンを見ているだけで、手も触らない」と。まさに「統計」だけが「現実」で、本人がいなくなっている。

ところが、さらに面白かったのは、以前、銀行に行って手続きしようとしたら、

「先生、本人確認の書類をお持ちですか」と言われたこと。普通は運転免許証なんですが、僕は免許持っていないから「免許持ってないんだよ」と言うと、「健康保険証でもいい」と言う。それで、「ここは病院じゃないだろう」って言ったら、今でも忘れないけれど、銀行の人が、こう言ったんですよ。「困りましたね、本人（養老孟司）だということ分かっているんですけどね」と。そのとき、僕が不思議に思ったのは、「はて、本人がここにいて、向こうも本人だと分かっているのに、本人確認というその『本人』とは誰だろうか」と。

――アハハ、冗談みたいな話ですね。

養老　それを疑問に思いながら何年かたったんだけれど、あるとき、僕より若い世代で、会社の課長くらいになったやつが言うには、「会社に入って三カ月くらいいたった新入社員なんだけど、あいつら、同じ部屋で働いているのにメールで報告していきやがる」と。

――それも、最近あるらしいですね。

養老　それで、よく見てみると、仲間同士もメールでやり取りしていると。それで「あっ」と気がついた。下手に課長に現に会いに行っちゃうと、いろんなことに気づいちゃうんですよ。機嫌がいいとか悪いとか、二日酔いで酒臭いとか（笑）。それって、仕事と関係ないんだよね。それをなんて言うかというと、現代では「ノイズ」って言うんです。

――なるほど、その「ノイズ」を見ないほうが、効率的だと思い込んでいるんですね。

カフカが描いた不条理――肥大化するシステムと日常生活

養老　だから銀行の本人確認の手続きのなかでの「私」、システムのなかでの「私」は安全なんだけど、銀行に行っている「本人としての私」は何かというと、実は「ノイズ」なんですよ。だから、銀行員にとっては「本人」なんてものは要らねぇんだよ。医者もそうでしょ。患者なんて要らないんですよ。遠隔地でも手術ができるなんてのが典型的な話でね、本人はその場には要らない。本人が「いてぇ」とか「かゆい」とか言うのは、単に邪魔なんだね。

——そうすると、現代人は、ますます「情報」のなかに自閉していくと。

養老　ノイズを切り落とした「情報」、それを皆さんは「現実」だと思っているんだけど、それも医療現場ではとうの昔からもう起きていた。だから僕は、もう二十五年も前から、「病院の将来は付き添いさんにある」と言っていたんだよ。患者に直接に接して面倒見ているのは付き添いさんですからね。

でも、今はもう患者は要らない、うるせぇだけだから。政府も番号一つでいいと言っている、それに関連の情報がついていればいいんだから。本人がどこで何をしていようが知ったこっちゃないんだよ。システム化されないものはすべてノイズなんだから。

——しかし、そうなると、システムは、ますます僕らの実感からは浮き上がって行くので、誰もコントロールできなくなってしまいますね。ほとんど、カフカの世界ですよ（笑）。

養老　そうなんですよ。まさに、その不条理感はカフカが表現しているんだよね。

——それが、ＡＩの登場で、ますます加速していると。

養老　だって、手続きしに行って、向こうは本人だと分かっているのに本人であることを証明せよって、何のためにやっているか分からないことも含めて、完全にカフカの世界ですよ。

——システムを使っているのではなくて、システムに使われているんですね。

養老 システムのほうが優先しているんですよ。しかも一人一人に聞いてみると、「世の中がそうなっているのは仕方がない」って。「俺は責任ねぇ」と思ってるんだよ、みんな。でも、そんなものナチの時代と一緒だよ、とこっちは言いたいんだよね。

——おっしゃる通りです。特に若い世代がそうですが、ある種の諦めのなかで今あるシステムに「適応すること」だけが価値になってしまっていますね。しかし、これだけ無気力が蔓延してしまうと、どこから手を付けていったらいいのかという気にもなってしまいますが。

養老 たぶん若い世代と、僕らとで決定的に違うところが一つあってね、それが、「システム」が崩壊するのを僕らが見てることなんですよ、自分の目で。だから僕らは、「こんなものはいつでもぶっ壊れるんだ」と思っている。じゃあ、システムが崩壊したら全部壊れるかというと、実は日常生活は壊れない。

僕の家族の戦争中の写真が一枚だけ残っているんだけど、面白いことに、イラクとかの難民キャンプの写真にそっくりなんだよ。ゲソっとして、きたねぇ格好して、でも一応きちんと立って正面向いていているんだよ（笑）。だから食糧難の難民状態をちゃんと経験しているんだけど、そういうときでも人間の最低のモラルまでは壊れないいんだね。そういう意味じゃ、社会に対して非常に楽天的なんだよ、僕は。政治に関心を持たないのも、そういうレベルでは「どうせ社会は動くに決まっている」と思っているからかもしれない。

ただ、生活の上に積んだシステムのほうは怪しいんで、さっき言った「喜怒哀楽」すら当てにならない。みんなで「これは、怒っているってこと」にしているだけだから、本当に怒っているのか、そもそも怒ってるってのはどういうことなのかと追究しはじめると、突然分からなくなる。それはある意味では、カフカの世界に通じてるでしょ。だって、目が覚めたら、突然、虫になってるんだもん。

――確かに（笑）、システム化されないものは虫にされちゃうんですね。

グローバル化と崩れ行く世間

――社会の上澄みの「システム」は脆いけれど、生活基盤が空洞化しない限り、人間の根本的なモラルのようなものは崩れないというのは重要ですね。

養老　そのモラルを、もう少し膨らませたのが「世間」ですよ。だから明治の人は「和魂洋才」ということを言った。このときの「和魂」とは「世間」のことです。「世間」の暗黙のルールは、いくら西洋のものを入れても壊れないと、彼らは確信を持っていた。

だけど、その後に、だんだん「世間」のほうが変わっていくと「和魂」も怪しくなってくる。で、そこにトドメを刺したのが戦後の憲法改正ですよ。ただ憲法といえば、たいていの人は九条のことを考えるけど、僕が言うのは民法に関する部分です。日常の生活を変えたのは民法だからね。アングロサクソンの民法をなぜ日本に入れたのか、エマニュエル・トッドにでも意見を聞いてみたいね（笑）。そんなものを勝手に変えていいのかね、外国人が。これはすごいよ。

でも、壊れないところは頑として壊れない。政治家とか、地方の医者とかは典型だけど、今でも家族制度、家制度はあるでしょう。天皇もそうだけれど。頑として家が残っちゃう。

――ただ、その「家」も、都会では怪しくなっていますね。

養老　ほとんど壊れているよね。核家族になっちゃった。

――そうなんです。しかも都市だけの現象だったものが、今や全面化しています。

養老　家業があるほうが珍しい。

――実は、僕自身も核家族の転勤族で、しかも、幼少年時代をニュータウンで過ごしたような人間なんですが、その経験から言うと、養老先生の言う「脳化社会」とか「都市化」の息苦しさは物凄くリアルなんですね。しかも、そのなかでいじめられて、システムからドロップアウトして、その後に「芸術」とか「文学」とか、そっちのほうに行っちゃったんです（笑）。

養老　大事なことだった。そこで適応していたら、今頃、大企業のオフィスで働いていたかもしれない（笑）。

――そうかもしれません（笑）、それで「鬱」になっていたりして。

養老　ドロップアウトできる人はいいんですよ。多くの人ができないから。ＡＩ化の問題もそうだけど、いつの間にかシステムに取り込まれて、仕方がないと思っている。

——養老先生の心境としては、もう眺めるしかないという感じですか（笑）。

養老　もう、こっちは年寄りですからね（笑）、後は、若い人に任せるしかない。でも、「世間」というものをなし崩しに壊していく「国際化」とか「グローバル化」とかいうのは、大嫌いだということだけは言っておきたい。僕が大学に勤めていたのは、もう二十五年以上も前だけど、その頃から周りはずっと言っているんだよ、「国際化！　国際化！」って。だから、そのたびに、いつも聞いてたの、「国際化って、カンボジア並み？　インド並み？」って。でも、それは要するに「欧米並み」ってのを隠してるだけなんだよね。本当に、むちゃくちゃだよ、「国際化」っていうのは（笑）。

第二章

システムを超える「もの」「自然」「身体」「国語」の手触りについて

AI化する教育と『知の技法』

――自然のなかにある「ノイズ」を切り落とし、「ああすればこうなる」を加速していった先にあるのが、養老先生のおっしゃる「脳化社会」だとすれば、それが、そのまま社会のAI化を歓迎し、グローバリズムを歓迎していったのだとしても不思議はないですね。

その意味でいえば、この三十年の「知性」のマニュアル化は、やっぱりヒドイ。それを率先しているのが、昨今の大学改革ですが、それが始まったのも、まさに養老先生が批判されていた『知の技法』（東京大学教養学部テキスト、一九九四年）が出た頃からですね。

養老 そうです、あれで「知」が「技法」に変わった。でも、コケましたね。

――そうでしたね。ポスト・モダンの匂いもプンプンでしたが。

養老 時期がちょうど重なってましたからね。それでいうと、「知」が「技法」になる以前は、「知」にアクセスするには気力とか、体力なんかが必要だったんですよ。僕らだと、カント全集は、わざわざ古本屋へ行って、そこで買わなければならなかった。

でも、今は、タダだもん。古典は全部タダで読めるし、たとえば十九世紀のもの、ディケンズとかああいう本だったら間違いなくタダで手に入る。解説が入っても、せいぜいキンドルで一円とか、もうめちゃくちゃ。知識を手に入れるにはものすごくいい時代ですよ。

それで、資料が揃えやすくなってきたこともあって、九〇年代後半あたりから、文科系の学者のドクター論文がどんどん厚くなってきた。それに比べて、僕らが学生の頃にはコピーすらないんだから、手書きですよ、手書き（笑）。その次に、あの色が変わっちゃうような昔のコピー機が出てきて、ようやく、二十代の頃に大学の図書館で虫の論文をコピーできるようになった。それは、今も持ってるから、あとで持ってきてもいいよ（笑）。

——ありがとうございます（笑）、ただ、「知」が「技法」になってしまうと、たとえば手書きなんかを通じて、かろうじて担保されていた「まねび」（学び）の感覚もキレイさっぱりなくなってしまうんでしょうね。でも、そのことで、実は「個性」も殺されてしまいかねない。

実は、養老先生の文章で好きな言葉があって、それが「真似の果てに見えてくるもの、それこそが本当の個性である」（『養老孟司の幸福論』中公文庫）という言葉なんです。まず信頼、信用が置けると思った人（師匠）を見つけて、その人を徹底的に真似ること。真似て、真似て、真似ていった先で、どうしても「まねできない」ところが出てきてしまう。それだけが「個性」なんだと。振り返ってみると、これは僕自身が実践してきた「まねび」方でもあるんですが、実際に、学生に対しても一番効果的な方法ではないかと。

養老　いや、それが日本なんだよね。伝統芸能なんかをやっていたら、いやというほど分かる。でも、そうやってると、「なんで師匠の真似しなきゃいけねぇんだ」って。

――でも、それをしないと本当の「個性」も見えなくなっちゃう。

養老　そうなんだよ。それじゃ訓練は、できてこないんですよ。日本語でものを書けるようになってから、もう千年以上たっている。そんな日本の歴史を考えると、「芸能」や「学問」の世界で、そう安易に「個性」なんかが出てくるはずがない。

――しかし、今、「学問」を支えているのが「まねび」だと思っている人はほぼいないでしょうね。それこそ「脳」による記憶力だとか、知的な操作力だと思っている。

養老　まさに『知の技法』ですよ。あのときで四十万部出たんだよ。

――あのあたりから、日本はおかしくなり始めましたね。「オモシロければいい」と開き直ったポスト・モダンの多幸症もそうですが、それが加速していくと、今の落合陽一のような「AIで全てが解決する」みたいなデジタル・ナルシシズムに繋がっていく。

「常識」で考えれば、そんなことがあり得ないことくらい一瞬で分かるはずなんですけど、ただ、生活の基盤が崩れているから、それも通用しちゃうということなのかな。

養老　もう一つは、それこそ経済の話でね。お金のほうが余っているから、結局AIにお金が全部行っちゃうんですよ。AI工学をやってる松尾豊さん（東京大学）のところの卒業生に大澤昇平さんって人がいるけれど、彼は、「資本主義の文脈において、パフォーマンスの低い労働者は差別されてしかるべきです」って言ってますからね（笑）。

だから、いってみれば、あの業界だけ、産業革命最盛期のイギリスみたいな状況なんです。AI業界っていうのは本当に特殊な社会でね、あとはみんな停滞しているのに、あそこだけ発展途上みたいになってる。

この間、松尾さんのところの卒業生について、「どこに就職するんですか」って聞いたら、おそらく年に十数人いるはずなんですが、企業に就職した学生は一人もいならしい。全員起業ですって。全く変わってますよ。

中村哲さんの死――「内発性」を抹殺するシステム

――お話を伺っていると、養老先生が今の日本社会に相当にお詳しいことに驚いてしまうんですが……。下手をすると、僕なんかのほうが老けているかもしれない（笑）。

養老　いや、年取って虫ばかりいじっているから、逆に、そういうことも関心を持たなきゃいけないのかなと思ってね。それから、やっぱりもともとの性格として、訳の分からないことが嫌なんですよ。だから政治の話も経済の話も訳が分からないぶん、知りたくなる。

でもね、「元気な人」でいうと、今年（二〇一九年）、一番ショックだったのは、あの中村哲さんがアフガニスタンで殺されたことですね。彼は、ここ（養老山荘）にも来たことがあるんだよ。もともとチョウが好きでね。キャベツのような作物は中近東から来ているから、それを食べるモンシロチョウも中東からついてきたはずだといって、その原種を探しに中東へ行ったんですよ。そしたら、医療状況がヒドイというので診療所を始めてね。でも、診療所じゃラチがあかないんで、川を掘り始めたんです。百万のアフガン難民というのは、干ばつが原因なんで川を掘るのが一番手っ取り早い。それで、十万人単位で人が戻り始めたでしょう。でも、それで目をつけられて、殺されてしまった。

彼は「絶対大丈夫」と言ってたんだけれど、新聞を見たら護衛付きなんだよね。日本政府も忠告したっていうし、そろそろ危ないと分かっていたんだと思う。つまり、彼がどういうことをしたか、してないかということじゃなくて、そこまで政治的な重みがついてくると、殺すこと自体に意味が出てきちゃう、それが政治の嫌なところなんですが。どんなに社会的マイナスがあってもいいんですよ、邪魔なイメージを消すことさえできれば。中村さんは、それに引っかかっちゃったんだなと思ってね。彼自身は、何の関係もないのにね。

それから、いろいろ考えるよね。中村さんの存在自体が、たとえば外務省の人にとっては不愉快だったはずだよなとか。「個人であれだけのことをしているのに、お前は給料もらって何をしてるのか」って話になるからね。だから、その存在が、日常的な政治批判になっちゃうんですよ。それはアメリカだって同じでね。現に、川を掘ることで、パキスタンから農民が戻ってきているのに、なぜそれをやらないのかということになる。アメリカ軍は、爆弾を落としたり、軍事訓練したりしているけれど、川は掘らないからね。

――中村哲さんのお話は大切ですね。チョウが好きで中東に行って、医療が酷いから診療所を始めて、それじゃラチがあかないから川を掘ると。理念で動いているわけじゃなくて、全て、目の前の自分の「必要」に応じて内発的に動いていった結果なんですね。

しかし、そんな中村さんが殺されてしまったということは、自分の「必要」に応じて動くこと自体が、この社会では目障りになってきてしまっているんですね。

養老 そう、徹底的にそうなんですよ。それがシステム化ってことだから。その意味じゃ、最近で一番悲劇的な事件だなと。はっきりいって、システムにつぶされたんですよ。既成の政府組織と、テロ組織があって、そのシステムのなかで個人が抹殺されてしまった。でも、それに対抗するためにシステムを作ると、同じことになっちゃう。だから、中村さんは、それをしなかったわけでしょ。だから悲劇なんですよ。

――これは個人と社会の永遠のジレンマですね。だからこそ「平衡感覚」が必要になってくるんですが、しかし、それさえ、このシステム社会では通用しなくなりつつありますね。

「国」のために死ねるか

養老 でも、おそらく、社会と人生との関係とはそんなもんなんだろう。昔の中国人は、そういうことはよく分かっていた。だから、竹林の七賢でもなんでも、世の中の具合が悪いときは山の中に引っ込んでいるのがいいんだよ、と言っていたんだよね。

でも、そう言っていた中国人のほうが、今や、主体的にシステムを作り出している。それが世界を制覇する時代が来るかもしれない。そしたら、日本は鎖国するしかないね（笑）。ここまで長じてくると、もう鎖国しかない。いいところは、みんな中国人が買っているから、放っておくと、全部中国人に買われるよ。最近、デービッド・アトキンソンさん（日本の文化財管理の専門家）がそういうことを書いている。

ちなみに、これから日本にやって来るものがあって、それが、首都直下型地震と東南海地震。その二つが来た後に、今の日本だと、財政的に対処しきれない可能性がある。そのとき、カネを借りられる相手は一つしかない。それが中国。

——本来なら日銀にお金を刷らせればいいだけなんですけど、戦後日本人のメンタリティを考えれば、借りかねないですね。

養老　そのとき、日本国民が歯を食いしばって「自分で復興します」って言える？

——「最後の一人」になっても、自立を守れるかと。

養老　ちらっと、そういうことを書いたのが、自衛隊を辞めた伊藤祐靖さんの『国のために死ねるか』（文春新書）だよね。でも、それは大袈裟な話でもなんでもなくてね、ミンダナオ島に行ったときに会った女の子もまさにそれだった。戦後憲法の話をしたら、「私なら、そんな憲法を作った奴は殺してやる」って。だから「ナショナリズム」だとか何だとかいうけれど、そんなものは屁みたいなものでね。僕らは、それこそ特攻隊を見送ってますから。

——一口に「国のために」といったところで、その「国」とは何なのかを、具体的に考えていないと動けないですよね。実際、安倍政権のためには、誰も死にませんよ（笑）。まさに特攻隊がそうですが、「国」というのは、家族や友人、自分を培ってくれた歴史や文化、それをまた引き継いでいくであろう子どもたち……といった、自分の「生」と直接に繋がりのあるものたちの全体感です。その具体的な繋がりなしでは、誰も死ねない。

養老　でも、戦前に特攻隊が可能だったということは、逆にいえば、そこまでは共同体が生きていたんですよ。今の核家族じゃそれはないもんね。だからそういうところを壊したのが一番大きなところでね。でも、壊れちゃったのはしょうがない。

——一度壊れてしまったものは、元には戻せない。

養老　これはエントロピーと同じでね。熱いお湯とぬるいお湯を一緒においておくと、熱いお湯からどんどん熱が抜けていく。でも、これはしょうがない。

国語と自然――養老孟司と福田恆存

――そうですね。だからこそ、かろうじて残っている記憶の断片を集めて、それを継ぎ接《は》ぎしながらでも前に進むしかないんでしょうね。それもなくしてしまうと、「生きてる甲斐」がないというか、単なる、取り替え可能な人生になりかねません。

養老　それでいうと、非常に大きいのは「日本語」ですね。さっきから僕が「グローバル化」や「国際化」に文句を言ってるのは、日本の新聞とか雑誌が、日本語で書いた記事を日本人に売って、それで「グローバル化」、「国際化」ってなんなんだよってことなんです。だって、おかしいと思わない？

英語で出して倍売れるってなら、まだ分かるけど、今、自分たちが使っていて、それで商売しているのは日本語でしょ。だったら、それを少しでも自覚しろと。

――おっしゃる通りです。実は僕、大学院で福田恆存の研究をしていたんですが、養老先生のお話を伺っていると、そのときのことを思い出します。

養老　福田さん、僕は好きでしたよ。

――そうですか！

実は、先ほどからお話を伺っていて、養老先生のおっしゃる「システム」というのは、福田恆存のいう「九十九匹」に重なるなと思って聞いていたんです（「一匹と九十九匹と」参照。福田恆存『保守とは何か』文春学藝ライブラリー収録）。

福田が言うには、世界は「九十九匹」の論理に還元できない。功利主義的な理性が七十匹よりは八十匹を、八十匹よりは九十匹を救える社会を構想するのは当然なんですが、それでも功利システムでは、今、ここに産み落とされた取り替え不可能な「一匹」を掬い取ることはできない。とはいえ、「九十九匹」から零《こぼ》れ落ちてしまった「一匹」が「一匹」だけで自分を支えることができるのかというと、それも違う。そこで福田は、その「部分」に先んじて在る「全体」を、つまり、「一匹」の実存を支え、かつ彼を「九十九匹」（政治）へと接続させている「自然」「歴史」「言葉」を、「一匹」の背後に見出していくんですね。

この福田の「自然思想」の背後には、D・H・ロレンスからの影響なんかもあるんですが、面白いのは、福田が、その自然思想を「言葉」にまで、つまり「国語」にまで敷衍して論じているところなんですね。そうなると、ほぼ養老先生と似てくるわけで、小林秀雄、福田恆存と、「言葉」のなかに「自然」を見出す系譜に養老先生も掉さしてるんじゃないかと（笑）。

養老　**それは確かにね。そういえば、小林秀雄が『本居宣長』を書いたときに、福田さんが書評を書いたよね。そのなかで、「この本が本当に分かるのは、俺だけだ」と書いた。そういう言い方ができる世代なんだよ。客観性もクソもないんだけどね（笑）。**

「観念」ではなく「もの」に従うこと

――「自然思想」といってしまうと大袈裟なんですが、養老先生の自然に対する考え方に影響を与えたものというのはおありなんでしょうか？

養老　**それこそ、自然ですよ。だから、そりゃ日本でしょ、日本の田舎ですよ。僕は鎌倉出身なんだけど、鎌倉っていうのは、実は、小さな田舎町なんですよ。別**

荘族もいるから二重構造になってるんだけど、おふくろは医者だったから両方往復していてね。

――お母さまも医師をされていたということですが、医学との関係も？

養老 医学も同じですよね。医学っていうのは不思議なものでね。いわゆる実学ですから。だから、いろんな人が出るでしょう、医者から。久坂玄瑞も大村益次郎も医者だし、本居宣長だってそうですよ。でも、あれらは本当は医者じゃないんだよね（笑）。

――そういえば、安部公房や手塚治虫も医学部でしたね（笑）。彼らは、「観念」ではなくて「もの」に触れているという感覚を持っているんでしょうね。

養老 「どうしようもないもの」があることが分かるんだよ。嘘もつけないし、ついても仕方がないしね。だいたい、脳科学関係のものを読んでいて、何かを発見したといっても、たいていは間違いだからね。人間って、すぐに都合よく話を作りたがるんだけど、「もの」のほうが言うことをきかない。僕の先生も言っていたよ、「百思いついても、九十九は間違いだよ」と。たった一つが当たり。

――なるほど、実験室にこもる自然科学者に比べて、お医者さんの場合は、「現場」があるんでしょうね。

養老　システムのなかで生きていると、そういう感覚はあまり育たないでしょ。

――育たないでしょうね。ただ、実学から遠いと思われている文学なんかでも、深く付き合っていくと、実は、そのあたりの感覚は似てくるんですよ。まず、言葉自体が、こちらの恣意には従ってくれない「もの」ですし、一つの単語も、文脈次第で七色に変わってしまうので、それを一つの解釈に押し込めようと思っても、それは不可能なんです。

研究論文なんかでも、実は、「もの」を無理やり解釈図式に押し込めているだけで、どこに飛躍や無理があるのかは、論文を書いている本人が一番知っているはずですよ（笑）。そう考えると、「自然」と「言葉」というのは、まさしく、こちらの都合に合わせてくれない「どうしようもないもの」なんで、そのなかで試行錯誤して生きて行くしかないのかなと。

「理解」と「解釈」の差異について

養老　いま、本にしようかどうしようか迷っているのが、「理解と解釈はどこが違うのか」というもの。これはなかなか面白いんだよ、考え出すと。

自然に対する「解釈」が先行すると、古くは星占いとかね、神話になるんですよ。「解釈」は、こっちから働きかけてするものだから「運動系」。でも、「理解」は向こうからやってくるんだよ、「分かった！」ってね。「理解」というのは、分かろうとして分かるものじゃなくて、いつの間にか分かっている、だから「感覚系」。それで、運動系の解釈には二つあって、一つは選択思考的に行動していくパターン、もう一つは試行錯誤するパターン。

人間の議論って面白くてね、ダーウィンの進化論の根本にある「突然変異」と、「選択と淘汰」っていうのも、いってみれば、この試行錯誤と、選択なんですよ。すると、そこで「感覚系」が必ず文句を言う、「そりゃ、おかしいでしょ！」って（笑）。

――本当は「感覚系」が先行しているのに、それを事後的に見て「運動系」にしていると。

養老　**そういってもいい。要するに、「運動系」の出した答えを「感覚系」は取り合わないんですよ。つまり、「解釈」と「理解」は折り合わない。だから「解釈」を「理解」といっていいのかというところがあってね。その先にはさらに難しい「納得」というのが出てくる。**

――なるほど、面白いですね。ハイデガーやガダマーが言った「先了解」という概念と似ていますね。先に全体の「了解」があって、そこから初めて部分の「解釈」が生まれるんだと。でも、どんなに「部分の解釈」を積み重ねても、「全体の直観（先了解）」には辿り着かないから、またしても部分の「解釈」を循環させるしかないという、「解釈学的循環」の話です。

ただ、そう考えると、保守思想の父であるエドマンド・バークが、「偏見」や「先入見」、つまり、「前もっての・判断」である「プレ・ジュディス」を人間の基礎に置いたことの意味も見えてきます。「先了解」や「偏見」抜きに、人間は人間ではないという。

養老　**それ、自然科学も、基本的には全く同じでね。それを「理論負荷性」ってい**

う。実は「理論負荷性」がないと物は見えないんですよ。
なかでも生物学と解剖学は典型的で、肝臓を標本にして顕微鏡で見るでしょ。でも、肝臓を見たことがない学生が顕微鏡を覗いても何も見えてこない。でも、色とりどりの映像のなかから、これが肝臓で、あれが肝細胞でと教えると、やっと見えてくる。つまり、予め「偏見」がなければ物は見えてこないんですよ。人体の解剖にしても、やっぱりそうです。初めての学生は、もうバンザイお手あげ、「何を見ているんだこれは？」と。

――つまり、最初に「見方」を学ぶってことですね。

養老 常に「見方」しかないんですよ、僕らの場合はね。

――「見方」といえば、トーマス・クーンの「パラダイム論」なんてのもありましたが、しかし、現場の科学者で、自分自身の「見方」を自覚している人は多いんですかね？

養老 今の科学は実験科学だからね。セオリーがあって、仮説があって、それを証明するのが科学になっているから「見方」を議論することはほとんどないんです。でも、博物学とか解剖学はそうじゃない。対象が先にあって、それをどう料理するかですからね。

解剖なんて、もう二千年くらい昔からやっているんだから、本当なら新しいことはないでしょって話になる。でも、「んなわけねーよ」って。ぜんぶ「見方」なんですよ、まさに。「きみたち何も分かってないな」ってね、もう説明するのも面倒（笑）。

「身体」に耳を傾けること

――なるほど、それで思い出すのは、この雑誌の藤井聡編集長ですね（笑）。藤井さんは工学部出身なんですが、彼がいうには、最初は文学部に行きたかったらしい。ただ、国語が苦手で理系に行ったらしいんですが、なんで工学部なのかというと、理系のなかで一番実践的だったからだと。さらに、なんで土木かというと、一番「もの」に近かったからだと。

藤井さんと話していると、土木というのは「大地」や「もの」の手触りを体で受け止めながら、なお、そこで実践的な理性を発揮していく分野なんだと、改めて思いますね。

養老　工学でいうと、確かに土木ですね。

――「もの」に従う感覚が「常識」を作り出すんですね。

養老　「もの」に触れて何かしようとすると、どうしたって当たり前のやり方というのが出てくる。あとは、自分の体を使う体育ね。でも、今の体育は全部スポーツになっちゃった。オリンピック用のものですよ。自分の体を自分の思うように操作しようとするけど、そうじゃないんだよ。まず、体っていう「もの」があって、それがどういうものかを観察するところから始めないといけない。何を食ったらどうなるのだろうとかね。それを唯一やっているのが、古武道の甲野善紀さん。あの人はいつも自分の体で実験してるからね。

――甲野さんとは『自分の頭と身体で考える』という共著を出されていますね。

養老　分かっているんですよ、甲野さんは。身体って無意識だから、あんまりいじってはいけないって。頭の中でこねくり回してもいけない。難しいよね、距離感が必要だから。

そういえば、体のことでよく聞かれるんですよ、「健康法はありますか」って。「一人でいるだけだよ」って答えるんだけどね。虫を取るとなったら、歩かなきゃならないでしょう。飛んでる虫だったら走らなければならないし、網を振り回したり、冬だったら穴を掘ったりね、いくらでも体を使うんですよね。だからいいスポーツなんだけど、厚労省もオリンピック委員会も全然、種目に入れてくれない（笑）。

――一番、実地で体を使っているのに（笑）。

養老　病院でも「血圧は？」とか聞かれるんですが、「計ったことありません」って言うんだよ。なぜかというと、そういうので身体を判断できると思い込んじゃうと、その観念が逆に邪魔になっちゃって、自分で自分の身体の調子を感じ取ることができなくなるんですよ。食べ物のよしあしだって、体に聞けば分かるでしょ。食べた後で、なんか調子が悪くなれば、「変なものを食ったんだな」と（笑）。

「病は気から」――心身平衡論

養老　さらにいうと、実は、脳みそもそうなんですよ。脳には末梢神経は通っていないので、脳みそは「具合が悪い」ってことは自分では分からない。たとえば、頭痛がするというのは、単に血管と髄膜の問題でね、脳そのものは、切り刻んでも痛くもかゆくもない。じゃあ、脳が悪いときはどうなるか、これは面白いんですよ。答えは「体のどこかが痛む」。脳のバランスが悪くなると、その結果は体に出るんですよ。

この間、NHKでもやっていたけれど、いま腰痛を抱えている人の八割は頭から来ているらしいね。本人は腰が痛いから、腰が悪いと思っているんだけれど、全く間違い。

——慢性病は、ほとんどの場合、ストレスから来ているという話はよく聞きますね。

養老　脳のバランスが悪いんですよ。それを一番きれいに証明したのは、ラマチャンドランの「幻肢」、本人はそのつもりはなかったろうけどね。いわゆる「ない手足が痛む」って話です。ラマチャンドランがこれを治療したんですが、知りません、治した方法？

——メルロ・ポンティの本で読んだ気はするんですが……、治す方法までは書いてあったかな、完全に忘れてますね（笑）。

養老　脳のバランスが悪いとどこかが痛む。だから「ない手」でも痛む。でも、「ないはずの手が痛い」って言われても、医者は困るんだよね。

――確かに、治しようがないですね（笑）。

養老　「ない手」をいまさら切るわけにもいかないから、彼がやったのは、ないほうが左手だとすれば、あるほうの右手を箱のなかに入れる。箱の真ん中にプリズムがあって、右手を入れると反対側に左手が写るようになっている。つまり、見かけ上の左手ができるんです。

で、「動かしてごらん」って、右手を動かすと、左手も動いているように見えるでしょ。すると、脳の「まだ左手とつながっている部分」が納得して、突然、痛みがとれるんですよ。

――え！　脳の知覚を変えただけで、痛みがとれるんですか。

養老　つまり、この場合、「痛み」というのは、なくなってしまった左手からの入力がないので、脳が「おかしいよ」と言っている現象なんですよ。左手をつかさどっていた脳の部分には、筋肉の感覚や、目に見えていたときの感覚が残っているから、そこに入力がないと、「変だ！」と反応してしまう。それが「痛み」として表現されてしまうんだけど、だから、脳を騙して、手があるように見せてやると、脳のほうが

「分かった」といって、痛みが消える。

腰痛もそうなんですよ。だから、よく宗教の集会なんかに行って痛みがとれたりするじゃないですか。コロッと治ったりね。それは結局、脳のバランスを直してるんですよ。

――そういえば、偽薬を飲んでも「薬を飲んだ」と思うだけで、七割以上の人間に効果が現れるらしいですね。「病は気から」というのは本当だと。

養老　そう、体の問題を訴える人のほとんどは、その時点で、生活に問題ありなんだよ。

――確かに、僕の友人に腰痛持ちがいるんですが、彼は「鬱」でしたね（笑）。

養老　腰が一番、犯人にされやすいんだよね。だから痛みがある場合には、脳みその不調を疑う必要があるんです。ただし、それにも、健康な状態がどういうものであるかを分かってないといけない。つまり、体に耳を傾けておかなきゃいけないんだよ。

「構造理解」が苦手な日本人

養老　だから、病院がやってる統計ってのはアホみたいなものでね（笑）。すごいと思ったのは、禁煙について言った厚労省の言葉、「間接喫煙の死亡者が、交通事故の死亡者数を超えた」とか言ってってね。「簡単に比べんじゃねーよ」と（笑）。

――よくありますね、全く文脈が違う数字を持ってきて脅すというやり方（笑）。

養老　だって、その人が本当に間接喫煙で死んだのかなんて何で分かるんだよ。それに対して、交通事故の死亡者は明確なんだよ！　一人ひとり！　それを今は平気で比べますからね。

抽象的な次元で区別をつけるということに、日本語は弱いんですね。

――抽象的区別に「弱い」というのは？

養老　「抽象」というのは、リンゴは果物で、果物は食物で、食物は有機物で……、というグレードを区別していく思考ですよね。でも、日本語は、このレベルの違いを割にごまかせるんですよ。でも、乾いた英語で論文を書くと、このレベルの違いはすぐ分かる。しかも、この抽象レベルの区別というのが、人に構造的理解を可能にするんです。

たとえば、むかし観たベルイマンの映画『野いちご』。ベルイマンの映画は構造を持っているんだけど、それが見えないと、実は何の映画かよく分からない（笑）。『野いちご』は、ある年老いた医者が、名誉博士か何かの称号をもらいに行くだけの一日をただずっと流しているだけなんだけど、そのなかに夢が出てきたり、ちょっとした事件があったりする。それを、ちょうど大学生くらいのときに名画座で見たら、全然面白くなくてね。「なんにも起こってないじゃないか」と、さすがは名画座だと（笑）。

でも、中年になって、たまたまテレビで見たら、何とよく分かるんだよ。びっくり仰天してね。何でだろうと思ったら、自分の映画の見方が構造的になってるんですよ。つまり、その老人の一日が、実は彼の一生と重なっているんです。一日と一生がパラレルにシンクロしている。まず、こういう構造に気づかないと、何が何だか分からない（笑）。

――なるほど、構造的理解というのは、同時に隠喩的理解なんですね。それでいうと、それこそ構造主義言語学のローマン・ヤコブソンが言うには（「言語の二つの面と失語症の二つのタイプ」参照）、「王様はライオンだ」と隠喩するのは、人間界と動物界を構造的に比べて、その構造上のトップを置きかえることができるからだと。対して、構造を伴わない比喩がメトニミー（換喩）。「王冠は移った」などと、「王位」を「王冠」で比喩するのは、単に、いつも王様と王冠が隣接して現れているからに過ぎない。

しかし、そう考えると「膠着語」である日本語は、隠喩的表現に向いているというよりは、隣接したイメージを繫げていく換喩的表現のほうに向いているのかもしれませんね。

養老　**連歌がいい例でしょう。連歌の構造なんて研究したやついるのかな（笑）。**

――枕草子も、「春はあけぼの、やうやう白くなりゆく山際」なんて、単に隣り合ったイメージを繫いでるだけですからね（笑）。

養老　**だからね、若いときに科学の議論をしていて、つくづく不思議に思ったのは、アルファベットなんですよ。アルファベットって、一字一字は全く意味はないけれど、並べ方によって突然意味が発生する。そこには非常にはっきりした段階という**

か、飛躍があるんだよね。それで今度は、その単語を使って文章を作ると、主文章と副文章ってのがあって、これもハッキリ意識させられる。でも、これが日本人には分かりにくいんだよ。

――なるほど。それでいうと、その段階というか構造を明確に意識しながら文章を書いたのは、日本では三島由紀夫くらいかもしれませんね。三島の文章って、ほぼ隠喩なんですが、小説も物凄く構造的なんです。ただ、小説は「流れ」で読めてしまうから分かりにくいんですが、それでも、たとえば『サド侯爵夫人』とかの戯曲を読めば、その構造は一目瞭然です。

でも、だから三島由紀夫の小説は日本人っぽくないし、バタ臭いし、観念的なんですね。ちなみにいうと、三島の対極にあるのが「私小説」。これには、ほぼ構造がない（笑）。

養老　**連歌式だよね。**

――そうなんです。でも、日本人にはこっちのほうがウケる。だから、日本語は論理的でないというよりは、「構造的ではないもの」に大きく依拠しているといったほうがいいのかもしれませんね。

日本人と日本語

養老　日本語の特徴でもう一ついえば、日本語は心情密着性が強くて、対象密着性が弱いんですね。自然科学的な記述には向かなくて、たとえば、ファーブル昆虫記みたいなものは、実は非常に書きづらい。ついつい感想を述べちゃうんだね、自分がどう感じたかとか。

でも、だから、うっかり日本語でしゃべっていると本音がバレる（笑）。「語るに落ちる」っていう諺なんかがあるけど、たとえば犯罪人でも、喋ってしまったら、嘘を言っているのか、真実を話しているのかがすぐバレちゃう。だから警察も自白中心主義になる。

ところが、欧米の言葉は心情密着性が弱くて、逆に対象密着性が強いので、言葉と気持ち、対象と心との関係を分離できる。要するに人間と自然との関係が緩いんですね。そうすると、外国人は、事実を捻じ曲げることに対して何とも思わないので、彼らは真っ赤な嘘をつくことができる。それで欧米は、証言主義ではなくて、証拠主義

になるんですね。

――なるほど、外国映画なんかで、よくスパイ映画が撮られるのも、それか（笑）。

養老　**英語で書いていると、構文上、そう書かざるを得ないっていう状況がよくあるけど、そのあたりは、日本語は比較的に自由なんですよ。ずるずる書けてしまう。**

――それでいうと、国語学者の時枝誠記《もとき》の議論は面白いですね。時枝によれば、日本語は、「詞」（用言・体言を主とした自立語）と「辞」（助詞・助動詞などの付属語）によって成り立っているんですが、重要なのは対象を記述した「詞」のほうではなくて、助詞、助動詞などの「辞」のほうなんですね。「詞」を「辞」が包むことによって、そこに個人の価値判断や情感を乗せた「陳述」が可能になるのだと。

時枝の議論は、吉本隆明の『言語にとって美とはなにか』なんかにも影響を与えていますが、要するに、日本語の美しさは、「語尾」の問題なんですね。実際、僕なんかも、ゲラに赤を入れるときは、内容の修正ではなく、ここは「だった」じゃなくて、「である」のほうがいいかな……とか語尾ばかりいじってますからね（笑）。日本語では、「この人は、言っていることは正しいけど、語り口がね……」ってなると、もうそれだけで読まれないことになりかねない。

しかし、そんな日本語を使っている日本人が、一方で西洋的な思考を取り入れるから、ときに、頭と体が切り離されてしまうことにもなるんでしょうね。

養老 新聞が、まさにそうでしょう。オーストラリアに一年いて、帰ってきたときに日本の新聞を読んだら、なんか突然腹が立ってきてね。すごく主観的なんだよ。ずっと英語で暮らしていたから目立ったんだろうけど、新聞がこんなに主情的でいいのかと（笑）。

あと、よく感じるのは、虫を記述するときの表現の難しさね。虫に対しては「長い」とか「大きい」とか使うでしょ。でも、虫は本来「小さい」し、「短い」ものなんだよ。それで、中立的な言葉を探そうとすると「寸法」しかない。でも「寸法」は服だろうと（笑）。結局、「大きい」も「小さい」も「寸法」も、全てが身長、つまり「身体」と絡みあった言葉なんですよ。それで、しょうがないから「サイズ」って言葉を使っている。

――そう考えると、『「空気」の研究』のなかで山本七平がいっていた日本人の「臨在感的把握」ってやつも、すごく納得いきますね。日本人は、目の前の対象に身体的な情感を込めすぎて、ときに「論理・データ」に基づいた判断ができなくなってしまうという、あれですね。親安倍／反安倍のフェティシズムなんかも、それとしか考えられない（笑）。

養老　丸谷才一さんが言ってて面白かったのは、日本語だと、雀が動いているだけで二頁は書けるという話。「ちゃぶ台の上で雀が二羽飛んだり跳ねたりしている……」とか書いているだけで二頁は埋められるというね。つまり、これは井伏鱒二の目なんだよ。自分の心情と雀の記述をはっきり分けないから、感想をダラダラと続けられる。

でもね、これはもうしょうがない。それぞれの言語が持っている特徴ですからね。

——その条件を自覚するしかないと。

養老　そうですね。無意識の条件を意識しづらいというのは、どこでも一緒なんだろうけど、どこまで無理をするかということでしょう。無理をし過ぎる必要はないけど、少しは無理をしないと、自覚も出てこない。それは、どんな人間も同じでしょう。

第三章

「手入れという思想」

～「バカの壁を超えるために」

分裂気質の日本人

――日本語の話もそうですが、自分に与えられた身体的な条件を自覚するというのは、何が変えられない必然性で、何が変えることのできる偶然性なのかを見極めることですね。しかも、それを自覚するから、その条件を引き受けた上での試行錯誤の余地も出てくると。

それは、おそらく「国」も同じで、自分たちが、どういう条件で生きていたのかが分からなければ、その国の力も自由に発揮することができません。よく混同されますが、何をしてもいい「恣意」と、自分の資質に従って生きられる「自由」とは明らかに違いますからね。

養老　**それで面白いのは本屋の棚ですね。日本とヨーロッパでは明らかな違いがある。**

――どんな違いですか？

養老　**医学が典型だけど、ヨーロッパには、ホメオパシーとか、まぁ家庭の医学に**

類する民間療法の本が棚いっぱい詰まってる。でも、日本には比較的ないですよね。あと、もう一つ、日本に棚がないなと思うのは「伝記」の類ですね。向こうでは「伝記」はもう普通のジャンルなんですが、日本では特別なものです。医者にかかるのではなく民間療法を好む傾向とか、伝記を好んで読む習慣なんかも、個人主義と関係しているような気がする。日本人は、よくプライバシーとか言ってるけど、あれは建前として言っているだけ。実は、あんまり関係ないんだよ。

――なるほど、すると、そんな建前で「国際化」を言っているから、いざというとき、身体的な本音とのズレが出て来て、分裂的に振る舞ってしまうことになるんでしょうね。

養老 そう。そもそも、言ってる本人が、国際化の意味が分かってないんだもの（笑）。

――凄いですね、まさに、「意識」と「存在」がズレている（笑）。

養老 ちなみに言うと、最近面白かったのは、『患者よ、がんと闘うな』で有名な医者の近藤誠さんの本。そこで紹介されている国連の統計を見ると、ＯＥＣＤ三十五カ国中「自分は十分に健康ですか」と聞いて、最多の九割が「ハイ」と答えた国ってどこか分かる？

——うーん、自分に異様な自信がある国ですよね。

養老　そんなの分かり切っているじゃない。世界のなかで「俺は健康だ」って威張っているのは、アメリカ人しかいないじゃない（笑）。

——そうか！

どこから見ても不健康そうなのに（笑）。

養老　それで、三割しか「健康だ」と答えなかった国がある、それが日本なんです。しかも、これは三十五カ国で最低。

すると、日米安全保障条約の違う意味が見えてくる（笑）。それは、実は病んでいるのに「俺は健康だ」と言っている人間と、実は健康なのに「具合が悪い」と言っている人間の組み合わせだということ。アメリカ人は、実は不健康なのに、自分は健康だと思い込んで世界に出張っていって、日本人は、本当は健康なくせに、どうも具合が悪いと思い込んで引きこもりがちだと。その点、バランスはちょうどいいのかもしれないけどね。

——意識と存在のズレが、凸と凹の形になっていて、それが上手く組み合うんですね（笑）。

養老　まあ、統計を見て、遊んで言ってるだけなんだけど（笑）。でも、意識っていうのは、ときに、それくらい存在から浮き上がってしまうものなんですよ。実際、たばこのパッケージから「肺がんになる恐れ……」の「肺がん」の文字が消えたでしょう。あれはなぜかって言うと、全肺がんのうちの八％しか、たばこは関係していないということが分かったから。でも、人は、今でも「たばこを吸ったら八％の人が肺がんになる」って思ってる。そんなわけないんだけどね。

――よく人は、データ無視の大東亜戦争（太平洋戦争）を批判しますが、それは現代人も全く同じですね。人は、データでなくて、イメージやムードで動くんですね。

温暖化論の虚実

――しかし、イメージの問題で言えば、地球温暖化の問題なんかも、まさにそれですね。

養老　温暖化の一番の問題は、温暖化が人為的なものなのかどうかというところなんだけど、また最近も、人為的温暖化論者の代表的な人が出しているデータがおかしいと突っ込まれて、そこで反論ができなかった。それで代わりに出してきたのが、あの女の子。

——グレタ・トゥーンベリさんですね。

養老　温暖化論と喫煙有害論は、例のアル・ゴアの『不都合な真実』っていう本ですよ。本の前半は、人為的地球温暖化論で、後半は喫煙による肺がん論になっている。だから、その二つが政治問題だったってことは明らかなんです。だって政治家が論じてるんだもん（笑）。

——そもそも本当に温暖化しているかどうかもよく分かりませんが、それこそ、人類そのものを含んでいる地球「全体」の話を、恣意的かつ「部分」的パラメーターだけで分析することができるのかどうか……、温暖化論は、そのあたりが非常に曖昧なんですね。

養老　温暖化そのもののデータが、まだきちっと出揃っていない。プロの意見は以前から割れています。そもそも温暖化しているのかどうかさえ分からないんですよ。

——寒冷化しているという学者もいますよね。

養老 そう。暖かくなっていると感じられるのは確かなんだけど、それはヒートアイランド効果なんだよね。昔の冬は、鎌倉のほうが東京より暖かかった。でも最近は逆ですから。

ただ、これも、三十年くらい前から分かっていたことでね。たとえば、多摩川沿いで発生するチョウが、子どもを産んで、育って親になってというサイクルが、年に三回か四回だったんですが、それが今は五回、六回になっている。早く回転し始めていることは僕が若い頃から観察できていたから、もう五十年前くらいにはヒートアイランド現象は起き始めていたんです。そこにきて、北極の氷が解けているという話とか、太平洋のある島が水没するとかいう話があってね。でも、そんなことを言ったら日本の海岸も当然となるんだけど、そうはなっていないし、南極の氷が厚くなっているって話もあったりして、もう、どうすんだ、これはと（笑）。だから、地球温暖化というのは分からないんだよ、結局。

——つまり、都会人の実感として「間違いなく一昔前よりは暑くなった」ということがあり、そこにたまたま都合のいいデータがあり、地球温暖化の物語のようなものが作られてしまった可能性があると。それは「科学」の問題というよりは、ある種の

「空気」の問題なんですね。

養老 そう、だからこれは政治問題なんです。だって、炭酸ガスが原因だったらどうなるかって考えてみたらすぐに分かるでしょ。CO_2排出量は、アメリカが三十%で、中国も三十%。そこに近い値でEUが追っている。だから、それがほとんど全てで、もし日本人全員が腹を切って二酸化炭素の一切を削減したとしても、その削減率は四%に行かないんだよ。それをなぜ騒ぐわけ?

COP21(国連気候変動枠組条約)か何か知らないけど、あそこの議定書か何かに書いてほしいね。「日本人がこれから全員腹を切って経済活動を止めますが、それでも世界のCO_2は四%しか減らないけど、いいですね?」って(笑)。

いや、もっと言うと、日本人が一割節約しても、中国人が一%増やしたら、もう、それで終わりなんですよ、トータルでは。だから、アメリカと中国とEUが主導権を握ってね、日本人は「知らねーよ」が正しい態度なんです。みんながやるなら後をついていってもいいですよ、というくらいのものでしょう。日本が実害を与えているわけじゃないんだから。

ただそう言うと、また、うるせーことを言う奴がいて、輸入食料に影響が出るんだとかなんだとか。でもね、俺たちの頃は食糧難で、国産品で生きてたんだからそれで十分なんだよ。減らすならCO²じゃなくて、輸入のほうだろうと。でも、それを言われて一番困っちゃうのは、日本じゃなくて、アメリカなんですよ。小麦を買わないとか、家畜の飼料を買わないとかになっちゃうからね。それで、日本を温暖化対策で適当に叩きながら、自分たちのほうじゃ、COPなんて全く信じてないでしょ。パリ協定なんか知ったことかと。

――協定から外れたいと言っているくらいで（笑）。

養老　だって犯人は本人だもん。それが平気でいるってことは、話が怪しいってこと。本気で危なくなればアメリカも考えるでしょう。おかしいよ、日本のそういう対応は。

――しかし、そうなると日本が叩かれる義理は、ますますないですね。

養老　日本人って、叩きやすいんだよ、結局。「あいつを殺しても大したことはないが、宣伝効果はある」となれば、日本人は叩かれますよ、そりゃ。クジラがいい例でしょ。グリーンピースが、何で日本で活動するか知ってる？
日本で捕鯨反対をやると寄付（資金）が入るんですって。グリーンピースの活動家本人が、そう言っているんだから、本当でしょう。逆に言えば、日本人が完全に捕鯨を止めてしまうと、困るのは、彼らなんだよ。

――いや、そこまでくると、日本人の「お人好し」も、不道徳のレベルに達しますね（笑）。

養老　学校でもそうでしょう、一つの囲いのなかで優等生をやる奴は叩きやすい。いじめられやすい。しかも、圧倒的な優等生じゃないときてる（笑）。

「東京一極集中」について

――しかし、現状で言えば、政治も経済も日本は優等生でなくなりつつありますね。それでも、なお危機感が全くないんだから、ちょっと救い難い「お人好し」です。

養老　それで言うと、本当に問題なのは、温暖化なんかじゃなくて、デービッド・アトキンソン（日本の文化財管理の専門家）も言っているように首都直下型地震のほうでしょう。たしかに、首都直下型はどういう規模でいつ来るか全く分からないとい

う人もいて、来ないのかもしれない。だけど、東南海は人口密集地帯だからね、特に東京は何とかしたほうがいい。

首都移転と言っていた頃からずいぶん経っているけれど、人口集中の問題は国策として止めなければならない。

——おっしゃる通りです。しかし、今、東京一極集中は、むしろ加速していますからね。

養老　実は、年寄りが増えているんだよ。でも、これで人口問題は解決されるよ。年寄りが都市に集まって、直下型地震で死んでしまうから（笑）。

——しかも、若者は地方に移り住むから、人口減少にも歯止めがかかる（笑）。

養老　そう（笑）。働き盛りは安全な地方に移れ。そう言ってもいいと思うよ。

——実は、東京一極集中については、『クライテリオン』でもずっと取り上げてきたんですが、そこで問題にしてきたのが直下型地震もそうなんですが、「格差問題」なんですね。東京と地方の「格差」もありますが、もう一つは、東京の大学を卒業して、東京で就職できた人間（正規労働者）と、地方で生活していくことができず、中年になって東京に出て来ざるを得なかったという人たち、地方から逃げてきたという人たち（非正規労働者）との「格差」です。

たとえば、つい先日も、萩生田文科大臣の「身の丈」発言で延期された共通テストへの民間試験導入問題がありましたが、あれなんか、地方切り捨ての象徴的改革です。「どこに生まれたか」によって決まってしまう格差を放置するなら、国家の意味なんてありませんから、そのうち「国民意識」自体が崩れていってしまいかねません。

養老　だから僕は、むかしから参勤交代をしろと言っている。行ったり来たりすればいいんだよ。それから、直下型地震に備えて郷里を持つべきだとも。全体が復旧するまでにどれくらいかかるか分からないから、一回帰る。そういう日常を作っておかないともたないよ。

――そういう、生活の安全保障を一人一人が考えておく必要がありますね。ウチの雑誌の漆原社長（啓文社）なんかは、平日は東京で働いて、休みは山梨に帰っているらしいんですが、ある意味、羨ましいですよ。僕より、若いのに（笑）。

養老　利口だよ。まず生活費は安いし、山梨なら田舎すぎなくて丁度いい。島根には毎年行くんだけど、ガラガラだよね。家なんか捨てるほどある。本当に立派な家でも雨戸を閉め切っていて、空き家なんだろうね。それで困ってしまって、もうどんどん壊しているくらい。もったいないなぁ、俺がもらってやるのになぁ、と（笑）。借りるにしてもすぐ貸してくれますよ。身元がはっきりしている人ならね。

「バカの壁」と「成長の限界」

――しかし、東京一極集中の問題もそうなんですが、「自分が知りたくないことについては自主的に情報を遮断」するという「バカの壁」は、日本人の心のなかで年々高まりつつある気がします。僕はこの業界に入って、こんなにたくさんの「頭のいい『バカ』」がいることに驚いたんですが（笑）、それはまさしく一つの観念に対する囚われです。

たとえば、つい最近もＭＭＴ（現代貨幣理論）の話を、ある編集者にしていたら、「あ、そのＭＭＴってやつは基本的にダメなやつで……」と決めつけるんですよ。しかし、よくよく聞いてみると、彼のＭＭＴ理解が怪しい。それで試しに、誰でも知っているような基礎的な話を振ってみたんですね。たとえば、「単なる数字、紙切れかもしれない非兌換の貨幣を人々が欲しがるのは、その貨幣で税を支払わなければならないからだ」とか、「国家の徴税権力というのは、だから貨幣に価値を与えるための手段であって、決して税収のための手段ではないんだ」とか、もうMMTの一丁目一番地のような話です。

でも、そうすると、彼は「へ〜、そうなんだ」と。そのときは、「え？　それで、MMTを否定していたの？」と、心底驚きましたよ。でも、これは編集者に限りません。経済学者や官僚も全く同じです。これこそまさに「バカの壁」というやつで。

でも、ポスト・トゥルースの時代っていうのは、まさに「バカの壁」が全面化した状況なんでしょうね。全てが、人々の思い込みや、「空気」で動いていく。だから彼らはその場では嘘をついているつもりもないんでしょうけど、話を一貫させようとすると、結局「嘘」になっていると。

養老　**戦前が、まさにそうだったんですよ。「無敵皇軍」とかね。**

――つい最近も唖然としたのが、消費増税によって経済指標がマイナス五・六を示しているのに、経済財政諮問会議は「日本経済は緩やかな回復基調にある」と言ったこと。

養老　そう言っときゃいいんだよ（笑）。患者さんとおんなじでね。

——大本営発表と何も変わりませんね。

養老　変わってないよ。ただ、その背後にある経済の大きな流れについては、やっぱり考えておく必要があるんだよね。つまり、実体経済が天井を打っちゃってるんですよ。ローマクラブが言った「成長の限界」ってやつね。お金がだぶついているから、それがＡＩ業界に入って、そこだけ潤うみたいな話はあるけれど、そういう話とは本質的に別の話でね。

今後、技術面でのブレイクスルーがあるかっていうと、そうそうないでしょう。しかも、資源は天井を打ち始めている。石油の終わりが見えているんですよ。でも、たぶん、そのあたりのことを一番よく考えているのは、石油メジャーなんじゃないかな。もう二十年も前だよ、シェルが「三十年より手前のことを考えてはいけない、その先のことだけを考えよ」という課を作ったのは。だから「石油がなくなったらどうするか」については、官僚なんかより、給料もらっている彼らのほうが、よっぽど真剣に考えていますよ。だって、霞ヶ関のなかに「三十年より手前のことを考えてはいけない」なんていう課がありますか。

政治で言うなら、そういうことを考えるのは、本当は参議院なんでしょうね。昔の貴族院ですよ。今日・明日のことはまあいいとして、その先のことだけを長期展望で考える。本当は、コンピュータだって、AIだってなんだって、そのためにあるんだよ。

――本当にそうですね、ただ現状は「目先主義」だけが横行してます。

養老　だから、そこは特に若い人たちに変えてもらうしかない。志がある人なら喜んで投票するよ。実は、そういうことを小沢一郎に言ったことがあるんだよ。そしたら言下に、「今の選挙制度があるうちはダメですね」の一言で終わり。彼は、何しろ頭の中は全部選挙で埋まってるから、「あ、こいつはダメだな」と（笑）。相手の言うことを、含みを持たせて膨らませて聞くことができない。言ったことに対してただ反応しているだけ。

でも、こういうタイプは政治家には非常に多いんですよ。言葉には裏があり、そのまた裏もあり、ということが、あまり想像できないというか。次から次に全く違う話が入ってきて忙しいから、しょうがないかもしれないけれど。実は、医者もそうなんですよ。一人の患者さんにかかりきりになるなんて暇がない。これを、まず何とかしなきゃいけないね。

だから参議院をそういう場所にしたらどうか。暇な人が集まってね、遊んでていいんですよ。その余裕のなかから、ようやく長期展望的な議論も出てくる。

——おっしゃる通りです。忙しいと、目の前の出来事に目が釘付けになってしまいますが、余裕が出てくると、ようやく広い風景が見え始める。五十年前が見える人は、五十年後もリアルに考えようとするし、百年前が見える人は、百年後もリアルに考えようとする。過去に対する反省に比例して、私たちは未来のことをも長期展望できるようになるんでしょうね。

「大学改革」と余裕の喪失

——もう一つ、先生の本に関する感想なんですが、たとえば「恩師と教育」という文章のなかで、先生の師匠である中井準之助先生のお話を書かれていますよね。「東大紛争の時に、二期四年学部長を務めて紛争を終息に導いた人」として紹介されている先生です。そのなかで、中井先生への「信頼」によって、養老先生に「伝染《うつ》った」

ものがあり、それこそが実は「教育」の本質ではないかという議論を読んで、本当にそうだなと感じたんですね。

これはフロイトの精神分析が、医者に対する患者の転移（盲目的な信頼）がなければ始まり得ないのだという話と似ています。そうでないと、いつまでたっても患者は心を閉ざしたままで、患者に対する治療が、つまり、学生への「教育」が始まらない。これは本当に「転移」によって治療された人間にしか、なかなか理解できないところなんですが（笑）、しかし、その伝統が希薄になると、もう煩わしい人間関係は全部排して教科書だけでいいんじゃないかといった話にもなりますから、「信頼」を基盤とした師弟教育は崩壊していってしまいますね。

養老　周りから「先生」って言われると、いつも「お前に何も教えたつもりはねぇ」って言うんだけど、実は、よく分からない。でも、僕の先生も同じでね。「俺は何も教えた覚えはない」というのが口癖だったんですよ。そういう意味では、自分には「教育者」の自覚は全くないんだけど、そういうところが知らず「伝染って」いるのかもしれない（笑）。

だから、先生も色々あっていいんだよ。優秀な教師から、反面教師までね。昔の大学は色々文句を言われるけれど、そういうところは良かったよね。何もしないことも含めて、色々あって大学だったんです。しかし、今は、けち臭い話になってしまって。大学みたいな役に立たない場所を、なんでわざわざ残しておくのかというと、そういう色々ある場所からしか、色々な人間が育ってこないからでしょ。それが大事なところなんだけどね。

――「余」の部分がなくなってしまったんでしょうね。

養老 大学の先生も事務官みたいになってきて、キツキツなんですよ。

――それは本当にそうですね。近年の日本の大学改革で、良くなったことがあれば教えてもらいたいくらいです（笑）。貧すれば鈍するで、年々発表論文件数も減っているし、そもそも、博士号取得者が減っている。つまり、大学に魅力がなくなっているんですね。

養老 むかし、皮肉で「日本は贅沢な国だ」と書いたことがあるんだよ。だって、国費で解剖学の専門家を養成しておいて、それを事務仕事に使っているんだから（笑）。ほんと贅沢な国だよ、もっと使い方があるだろうに。

それに比べて、明治の人、特に後藤新平は偉かった。台湾総督が児玉源太郎だったとき、後藤が民政長官で実務をやった。そのときに京大から、清朝の法制史の専門家を引っこ抜いているんだよね。台湾に新しい制度を作るにあたって役に立つ奴はどんどん引っこ抜く。

ちなみに、桑原武夫が書いているけれど、日本で学者を集めて成功したのは二つしかなくて、一つは森外三郎校長だったときの三高（第三高等学校、のちの京大教養学部）。もう一つは、理化学研究所。昔の理研には、湯川秀樹さんとか、朝永振一郎さんとかがいたりして、あと田中角栄なんかも出入りしたりしている。日本も、日本型の、上手く機能する組織を作ったことはあるんですが、それがどういうものなのかということの性格付けができない。日本人はそういうのが下手なんですね。成功体験はあるのに、どうして上手くいっているのかが分からない。科学史なんかやるなら、そのあたりを掘ればいいのにと思いますよ。

東京大学と京都大学の違い

――しかし、上手くいっていたというのは、何が原因なんでしょうね。

養老 一時、京都大学からは、本当にたくさんの優秀な研究者が出たんだけど、間違いなく何か理由があるんだよ。

三高のケースは、まあ桑原さんがだいぶ書いているんだけど、やっぱり、色んな人間が、色んなふうに横に繋がっていける「雰囲気」なんだろうね。フランス文学をやっている桑原武夫さんの近所に、今西進化論の今西錦司さんがいたりとかね。

――実は、編集委員は京大が多いので、最近よく京大に行くんですが、たしかに東大に比べて、全然雰囲気が違いますね。なんでしょうか、あのリラックスした感じは（笑）。

養老 全く違うでしょう。東大でも京大でも教えたけど、学生の態度も全く違う。

――やっぱり、面白いのは京大ですか。

養老 そりゃ、そうでしょう（笑）。東大というのは、要するに「長男」を教育するようなところ。うっかりすると「先生、そんなことを言っていいんですか」なんて言ってくる。
東大は、完全にマックス・ウェーバーの『職業としての学問』そのものなんだよ。あそこに書いてあることで忘れられないのは、「学界で通説になっていないことを、教壇で語ってはいけない」と。しかし、それなら教科書を読め、バカ！ と（笑）。何のために講義しているのか分からない。でもマックス・ウェーバーの頃のドイツの文科系の学問はそんなもんだったんだろうね。しかし、それじゃあ、ウィトゲンシュタインなんかどうなるんだと、あいつは、ああでもない、こうでもないと、その場でブツブツ言いながら講義してるんだぞ（笑）。それが、今や何ですか、「シラバスを書け」だもの。「何月何日に何を喋るか書け」って、書けるわけないだろう。そのときには死んでるかもしれねぇよ（笑）。

――ホント、そうですね（笑）。ちなみに、僕の知り合いに、東大出の文学研究者がいるんですが、むかし、彼に「俺は、チャンスさえあれば母校に戻りたいと思っているが、お前さんは、母校に帰って教えたくないのか」と聞いたら、「東大は絶対にイヤだ」と。それで「なんで」と聞いたら、「東大の学生は、教師よりも頭がいいと思っているからだ」と（笑）。教師を下に見ているので「教える」、「教えられる」の関係が成り立ちにくいんでしょうね。

養老　それは「先生」の意味が分かってないんだよ。内田樹が『先生はえらい』っていう本のなかで書いてますよ、「先生」というのは、ものを知っているから先生なんじゃなくて、まず学生のほうが「自分は何も知らない」と思うから、その向こう側に「先生」を勝手に発見するんだよ。だから、何かを教わろうとすれば、何であれ「先生」になるんです。「先生」は絶えず「お前は何も知らないだろう」って言ってくる。それで「自分は何も知りません」と言う。ただ、それだけのことなんですよ、「先生」というのは。でも、今はダメだね。「もの知りだからエライ」になっちゃった。その点、たしかに東大はやりにくい。

正しいことを言わなければならないというのもあるんだけど、そもそも自分で考えてはいけないんだよ。通説を教えないといけない。たしかに、通説を知らないと新しいことを言ってもよく分からないんだけど、全てが通説となると、やっぱり駄目ですね。

その点、京大は、自由なんです。「京大次男坊説」って知っているでしょう。東大

郵便はがき

料金受取人払郵便

牛込局承認

8133

差出有効期間
2023年 8 月19
日まで
切手はいりません

1 6 2-8 7 9 0

東京都新宿区矢来町114番地
神楽坂高橋ビル5F

株式会社ビジネス社

愛読者係 行

ご住所 〒 TEL:　(　　)　FAX:　(　　)			
フリガナ お名前		年齢	性別 男・女
ご職業	メールアドレスまたはFAX メールまたはFAXによる新刊案内をご希望の方は、ご記入下さい。		
お買い上げ日・書店名 年　月　日	市区 町村		書店

ご購読ありがとうございました。今後の出版企画の参考に
致したいと存じますので、ぜひご意見をお聞かせください。

書籍名

お買い求めの動機

1　書店で見て　　2　新聞広告（紙名　　　　　　　　　　）

3　書評・新刊紹介（掲載紙名　　　　　　　　　　）

4　知人・同僚のすすめ　　5　上司、先生のすすめ　　6　その他

本書の装幀（カバー），デザインなどに関するご感想

1　洒落ていた　　2　めだっていた　　3　タイトルがよい

4　まあまあ　　5　よくない　　6　その他(　　　　　　　　　　)

本書の定価についてご意見をお聞かせください

1　高い　　2　安い　　3　手ごろ　　4　その他(　　　　　　　　　　)

本書についてご意見をお聞かせください

どんな出版をご希望ですか（著者、テーマなど）

は「長男」だから、文科省もうるさいし、東大が何かをやったことになると、それが、お墨付きになってしまって、どこの大学もやらなきゃということになる。つまり、「長男」は不自由なんだよ。ちなみに、阪大になると、もう「三男」だから、どうでもいい（笑）。

むかし、研究費の申請のことで阪大の先生に言ったんだよ、どうせ嘘をつかなきゃいけないし、上手くいってもいかなくても、後で面倒な報告書を出さなければならないから、研究費の申請を出すのは嫌だよと。そうしたら、彼は「報告書なんて出す必要ありませんよ」って。「じゃあ、どうすりゃいいの?」って聞いたら、「上手くいかなかったら、始末書を書けばいいんです」って（笑）。「始末書のほうが短くて済む」って言うんだよ。

——さすがですね、三男坊（笑）。

養老　東大じゃできないよ（笑）。

——「長男」じゃないだけで、それくらい楽になるんですね。でも、学問する環境としては、そっちのほうが断然いいでしょう（笑）。

養老　ノーベル賞受賞者が決まったら、テレビなんかから電話がかかってきて、

「また京大です」って、「いまから力メラを持って行きますから、先生コメントを」って言うんだけど、俺も言うに困って「うるせぇな、東大は出すほうで、もらうほうじゃねえ」って、われながらうまく言った(笑)。実際、そういうふうに機能してるし、そう思っていればいいんだよ。

「手入れという思想」と、西部邁との思い出

——今日は、長い時間、本当にありがとうございました。そろそろ時間なので、これで終わりになるかと思うんですが、最後に、僭越ながら読者のために、養老先生の本のなかでも特に印象に残った言葉を紹介させていただければと思います。それが、「手入れ」という言葉なんですね(『養老孟司特別講義　手入れという思想』参照)。

というのも、僕自身、十八の頃から今に至るまで、週に一度、必ず有志の学生たちと読書会を開いていて、その後に、飲みながら議論するという習慣を続けてきたんですが、そこでの学生との「付き合い」の感覚が、まさにこの「手入れ」の感覚なんです。たとえば、最初に会った頃はどうしようもない奴でも、一年、二年、三年と、毎

週付き合っていると、本当に驚くほどに成長する。これは教師である僕が凄いというよりも（笑）、むしろ、学生のなかにある「成長力」の凄さというか、教わろうとする態度が持つ「生命力」が凄いんです。

それは、ちょうど盆栽の「手入れ」みたいなもので、相手に向かって「ああしろ、こうしろ」とは言わないし、「ああすれば、こうなるのに」みたいな夢も見ない。ただ、枝が右に伸びすぎたらパチンと切って、左に伸びすぎたらパチンと切るだけなんですが、切っても切ってもまだ右に伸び続けるなら、それはそれで、その盆栽の個性なんで、こちらも、それと折り合いをつけるしかない。それを無理やり矯正すれば相手が死んでしまうので、やっぱり、少しずつ「手入れ」をしていくしかない。でも、不思議なことに、そんな「手入れ」の連続のなかで、どうにもならなかった人間はいないんですよ。

その時間のリアリティと言うか、その積み重ねの手応えが、僕の「自然」への信頼を根底で支えているものなのかもしれません。その点、政治や経済に対しても「グレートリセット」や「改革」じゃなくてですね（笑）、少しずつでも「手入れ」をしていければ、それが「常識」を再生させる手掛かりになるんじゃないかと、勝手になんですが、そう考えさせていただいた次第です。

養老　そうですね、やっぱり「自然」なんですよね。でも、日本社会って、もともとそうだったと思う。それはね、また丸山眞男さんの話に戻るけど、まさに「なる」なんですよ。彼が世界の創造神話について書いた「歴史意識の『古層』」のなかに出てくる話です。

創世神話は基本的に「つくる」「うむ」「なる」の三つで成り立っている。世界を「つくる」、これは一神教です。「うむ」という話はどこにでもあるんだけど、日本に独特なのは「なる」なんですね。日本の神話に非常に多く出てくる。結局、草木がなりゆくさま、実がなるとか、放っておいてもひとりでにそうなる。無理しないんだよ。それが砂漠の思想とはずいぶん違う。「手入れ」というのは、そことパラレルなんでしょう。自然に任せておいていい。

ちなみに、今のクライテリオン編集部も、自然になったものなんでしょ（笑）。

――編集部は、年齢も出自もバラバラなんですが、みんな西部先生と朝まで飲んでしごかれたという記憶を共有していて、あの「付き合い」を凌げたのなら大丈夫だろうという、何か変な信頼感からなっていますね（笑）。その点、一つのイデオロギーや能力で繋がっているというよりは、身体感覚で繋がっていると言ったほうがいいのかもしれません。そこが、たぶん他の言論誌と全く違うところで、それは、さっき言った「生命力」への信頼と同じなんです。

養老　そうか、西部がやっていた雑誌なんだな。

僕は、西部って、あんまり親しくなかったんだけど、彼が東大を辞めるってときに、『新潮45』に「ちょっと原稿載せろ」って言ってね。そんなことしたの、あれが最初で最後だよ。人事案を教授会に出して否決されて、それが気に入らないから辞めるって、それはおかしいだろうと。懲罰として復職させろって言ったんだ。だけど、後で聞いたら、それが理由じゃないと西部は言うんだよ。でも、外から見ればそう見えるし、そう見るのが世間ってやつだし、そもそも、それを許したらルールが成り立たない。そういう話をしたんだよ。

でも、実は、もっと本音のところでは、あの辞表は、学部長が握りつぶさないといけない話だとは思ってた。当時は、毛利のお殿様（毛利秀雄・東大名誉教授）が学部長で、なんでやらなかったのかと聞いたら、「そんなに偉くない」とか言ってね。でも、それが管理職の仕事でしょ。必要な人材かどうかを判断して処置しないといけないんです。

言ってみれば、西部の肩を持ったんですよ。機会があったら言ったかもしれないけど、それも、もうかなわない。死んじゃだめだよ、どうせ死ぬんだから（笑）。

第四章
「不気味なもの」との付き合い方

一年半ぶりの再会――コロナと不要不急

――二〇一九年の末に、ここ箱根の養老山荘に伺わせていただいたんですが、それからちょうど一年半が経ったことになるんですね。今日は、よろしくお願いします。

養老　**もうすっかり忘れてるよ（笑）。**

――そうですよね。最初にお会いしたのが、コロナ危機が始まる直前だったので、あれからいろんなことがありすぎて（笑）、一年半前が遠い昔のようですね。ということもあって、ご関心はさほどないかとは思うんですが（笑）、まず出だしは、コロナ騒動の話から始めざるを得ないのかなと思ってるんですが。

養老　**いいですよ。**

――養老先生は、コロナ問題が始まった直後に、「私の人生は『不要不急』なのか」という記事を『朝日新聞』（二〇二〇年五月十二日付）に寄稿されていますが、ご自身の人生と、今回のコロナ騒動とを重ね合わせて語るという非常にユニークなエッセイで、実は、『クライテリオン』の編集委員のなかで、それを回し読みしたりしていたんです（笑）。

大学院に入って精神科を志望するも、入試の代わりにクジを引かされ、その結果が「はずれ」だったので、改めて医学の基礎を学び直そうとして解剖学を志望すると。しかし、就職して一年目で大学紛争に巻き込まれ、「この非常時に研究とはなにごとか」、「お前の仕事なんか、要するに不要不急だろ」と研究室を追い出され、それから、「学問研究にはどういう意味があるか」と自問自答を繰り返していくと。でも、そんな疑問に答えてくれる人などいるはずもなくて、「自分のやることなんだから、すべては自分で考えるしかないんだ」と肚を決め、それがそのまま、世間のモノサシとは距離をとって、「なんでもいい。やろうと思ったことをするだけ」だという「自立」への意志に繋がっていくというお話だったと思います。

医療という緊急を要する世界のなかで、しかし、「解剖学」という一見「不要不急」に見える仕事に従事してこられたご自身の人生について静かに振り返った文章だったと思いますが、正直申し上げて、日本人に、こういう文章を味わえる心さえあれば、こんなコロナ程度のことで、ここまでアタフタすることもなかっただろうと、つくづく思います。

ワクチンと安全保障

養老　そうですね、そもそもウイルスは「不要不急」なものだから、世間のモノサシで測り切れないところがあるんですよ。それこそ人為の限界でね、「自然」に任せるしかない。

――そうですね、まず、その構えさえあれば、落ち着いていられたんですが。

養老　ただし、社会施策的なことを言えば、これはワクチンができなきゃ片付かない問題なんです。ところが、それが日本で作れないっていう情けない状態でね。これが一番問題だと思った。答えは最初から分かってんのに、あんまり本気でやってねえなって。ワクチンをどうして作らないのか、作れって声がないですね。今は、なんでもそうだけど。

――日本が「医療先進国」だという神話も崩れましたね。

養老　もう二年でしょ。最初の段階で本気で計画して始めてればできた。ほんとに総力戦を戦う気なら、まずワクチンからですよ。それは広い意味での安全保障なんです。

だから、本来なら初期段階で、一気に莫大な金をつぎ込むべきだったんです。状況を見たら、それしかないことくらいは、誰でも分かる。軍事的な危機のあるとこは、みんな何とか自前でワクチンを開発しようとしているでしょ。台湾もそうだし、韓国もそうですよ。

――そうですね。日本には、非常時の薬の緊急使用許可（アメリカのＥＵＡ）のような制度もないらしいですが、お金の面だけで言っても、日本の開発支援が三千億円程度なのに比べて、アメリカは桁違いの二兆円らしいですからね。

養老　結局、軍事に関することをタブーにしてきたから、それが伝染病対策の不手際にまで行っちゃってるんです。その点、アメリカは、危機対応のためなら金は出す。

たとえば、東大の「伝染病研究所」が「医科学研究所」に名前変えたのは、ちょうど、寄生虫学、衛生学を専門にしていた佐々学先生が所長をしていた頃（一九六八年頃）だけど、僕は、アメリカから出ていた研究費なんかで、フィラリア（寄生虫の一種）の検診に奄美大島まで行ってましたからね。当時、フィラリアの薬ができてね、何十人か医療関係者連れて奄美の各部落を全部回って検診をしたんですよ。それで聞かなくなったでしょ、フィラリア症。

医療業界について

――たしかに「フィラリア」って言葉自体、今、初めて聞きました（笑）。

ちなみに、これは養老先生もお書きになっていることですが、ヒトゲノムを解析してみると、その三割から四割がウイルス由来のもので、しかもそのほとんどが「不要不急」で、その機能も不明だといいますよね。しかし、このいわゆる「ジャンクDNA」の話を読んでいると、進化論的にもウイルスとの付き合いは不可避なものなんだろうと思えてくるんですが、こういう話って、医学業界では知られているんでしょうか。

養老　ヒューマンゲノムの由来については随分知られているはずなんだけどね。

たとえば、遺伝情報の伝わり方は二つあって、一つは垂直方向での遺伝で、要するに親から子への遺伝。で、もう一つは、水平方向での遺伝で、人から人へ、場合によっては種を超えて遺伝情報を伝達するんだけど、これを担っているのがウイルスなんだよ。ということは、ウイルスが、人間の進化にとって不可欠だってことは当然のことなんで、こういう話は大抵の人は知ってるんじゃないかと思う。でも、それは単なる知識ですからね。

――そうか、というのも、今回のことについては、結構、お医者さんの態度が分かれましたよね。ヒステリックに「ウイルスは撲滅だ」っていう方と、「ウイルスとは付き合っていくしかない」という方と。でも、このヒトゲノムの話一つとっても「撲滅」というのは意味が分からないなと思っていたんですが、養老先生としてはどうでしたか。

養老 あんまり違和感なかったですね。

――そうですか、やはり経験として?

養老 まあ、日本の医学界ってこんなもんじゃねえかっていう感じで（笑）。ただ一部、若い人からは、「新しい芽」みたいのは、出ていることは出ていると思いますよ。

後輩の医者でも、今のシステム化された医療は根本的に人間にとって具合が悪いってことを考えて、本を書いたり、頑張って発言してる人はいるし、このままじゃ患者さんも居心地悪いし、医者も大変だろうと考えている人もいる。今じゃ、「現場の医療従事者は大変だ」とか言えば、美談にもなるんだろうけど、それも、東大紛争と同じでね、本当に美談にしていいかって問題があるわけで。「こんなことやってられるか」って現場で思ってる人は随分いるはずなんだけど、それが言えないっていうことのほうが問題なんですよ。

「ああすれば、こうなる」の接触八割削減

――実は、『クライテリオン』でも、森田洋之さん（医師・医療ジャーナリスト）とか、和田秀樹さん（精神科医）なんかにご登場いただいて、医療現場への疑問のようなことを書いていただいたんですが、そもそも、書いてくれるお医者さんが少ないですね。

養老　**和田さん、変わりもんでしょ（笑）。**

――和田さんとは、お会いしたことがないんですが、でも、おそらく「変わりも

ん」なんでしょうね（笑）。ただ、「変わりもん」ということで言うと、本誌でカミュの『ペスト』の文学座談会をやったときも思ったんですが、実は「変わりもん」のほうが危機には強いのではないかと。

カミュは、二つのタイプの人間を描き分けているんですが、一つは、システムの中にいた人間で、これが感染症に狼狽《うろた》えちゃうんです。でも、システムの外に生き甲斐というか、足場を持つ人間は、同じくシステム外からやって来た感染症に対しても落ち着いていられるんですね。ただ、今は、カミュの頃とは比べものにならないくらい、社会も医療もシステム化していますから、ここまで「空気」が硬直してしまったのかなと。

養老　医療のシステム化が始まったのは、僕が医学を志した頃ですよ。分子生物学的な考え方っていうか、要するに、生物現象を遺伝子レベルの決定論で科学的に説明していこうというやり方が主流になっていくんですが、そのシステム化の究極がＡＩになった。

僕の先生とか、同級生とかには、当時のＡＩを使って、つまり、真空管のコンピューターなんかを使って診断機械作ってた人もいたんですよ。僕は若かったから非常に

感心したんだけど、当時は全く評価されなかったですね。古いっていえば古いんでしょうけど。

僕がインターンのときだから、もう五十年以上前、半世紀以上前ですよ。でも、その頃からどのくらい進歩したかと思うでしょ、これが、全く進んでない（笑）。

――AI的思考ということで言うと、西浦（博）教授の「接触八割削減」もそうでしたね。

アジアと欧米での致死率の違いを無視したうえに、基本再生産数をドイツの「二・五」に設定して、さらに「何も対策をしない」というあり得ない仮定で「四十二万人が死ぬ」と言ったわけで、典型的な「ああすれば、こうなる」式のAI的思考というか、いや、まだAIのほうが複雑なくらいで（笑）、ビックリするほどの「机上の空論」を展開していましたね。

養老　**いつだってシミュレーションは整合的なんです。問題は、現実との接点のほうですよ。**

――おっしゃる通りです。その点、今回は、その現実感覚が問われていたんですね。

養老　シミュレーションでは、そういうふうになるから、八割削減にしろっていうのは転倒しているんだよ。「接触八割削減」が可能であれば収束するっていうけど、そもそも、その「接触八割削減」が可能かどうかさえ分からないんだから。

――おっしゃる通りです。ただ、「八割削減」の話が出たときには、「そうすればいいのか」という感じで、世間は飛びつきましたね。

養老　ある程度「答え」みたいのが見えてるほうが楽だっていうのはあるからね。

――その点、今回つくづく思い知ったのは、もし、その「答え」に向かって雪崩を打ったとき、自分の生活がどういうふうに変わってしまうのかについての想像力を働かせることのできない人が、ここまで多かったのかということでした。社会的な「答え」と、自分の「現実」とを突き合わせて、人生や幸福について考える力が、ここまで根こそぎになっていたことに僕は少々ショックを受けていて（笑）、そこは自分の認識が甘かったなと。

養老　その「答え」が人間にとっての正解なのかって、誰にも分かりませんからね。

「戦前」を反復する「戦後」——国民を飢えさせる政府

——あと、今回感じたのは、以前に養老がおっしゃっていたように、戦前と戦後で何も変わっていないということですね。

たとえば、日中戦争当初、近衛文麿内閣は不拡大方針を取っていましたが、「南京陥落」の一報で強気となって、「国民政府を相手とせず」と声明を出してしまう。それ以降、日本人は戦争からの出口戦略を見失い、世論に引きずられるままに、ずるずると戦線を拡大し、果ては、「B29を竹槍で落とす」だの「一億玉砕」だのというところまでいってしまう。

これなんか、出口戦略についての議論を放ったらかして、何の基準もなく緊急事態宣言を繰り返し、果ては、「ゼロコロナ」の妄想に憑かれてしまった現代日本人の姿そのものですよ。

でも、さらに驚いたのは、「国民」に我慢を強いる「国家」の姿までが、戦前にそっくりだったことです。これは、加藤陽子さんの本なんかで知ったんですが、日本とドイツで戦争前と戦争末期のカロリー消費量を比べたときに、何とドイツは戦争末期のほうが、カロリー消費量が上がってるらしいんですね。つまり、ナチスでさえ、戦意維持のために国民を飢えさせなかった。ところが、日本の戦争末期のカロリー消費量は、戦前の六割に減っていたらしいんです。つまり、日本政府は国民を飢えさせながら戦っていたということです。

でも、それは今も一緒で、外国を見ると、ロックダウンをする一方で休業補償などはしっかりしている。他方、この国は「自粛」を「要請」するという意味不明なことをしながら、その補償はできる限り避けようとする。そして、そんな不条理な政策にも日本人は大人しく従うと。

養老　いや、変わんねえなと思ってましたよ。十分な休業補償なしで自粛要請するのも、兵隊に飯食わせないで戦争するのも同じですよ。

――あれだけ「戦前」を否定したのは何だったのかと思いますね。

養老　実はね、「栄養失調」って言葉は、支那事変から使われ始めていたんです。戦線から病院に搬送されてくる兵隊かなんかが、分かんないけど具合悪くてふらふ

らしてる。それで、一週間くらいすると必ず死ぬんです。その理由が初めは分からなかったんですが、後から、こりゃ食べさせてねぇなと。それで「栄養失調」って言葉を作ったんだけど、その病名が作られたのも、戦争が始まって、もう何年も経ってからですよ。多くは、太平洋戦争の頃からそれが始まったと思っているでしょ、たとえば、ガダルカナルとかアッツ島とか。でも、そうじゃない。兵士の飢えは日中戦争の頃から始まっているんですよ。

——そんなに早くからですか。

養老　それで、京大を出て、中国戦線に従軍した長尾五一さんっていう軍医さんが、終戦直後に、『戦争と栄養』っていうパンフレットを書いて、全国の医科大学の図書館に配ったんですよ。なぜ、全国の大学図書館ではなくて、医科大学の図書館だけに配ったかって言うと、戦死した人たちの遺族に対して、その理由の大半が餓死や戦病死だったっていうのは言うに忍びないから、それで公表しなかった。それが、ようやく戦後五十年くらい経った頃に、西田書店っていう小さな出版社から出されましたね。

戦国時代は、「腹が減っては戦はできぬ」だったけど、それが江戸時代になると

「武士は食わねど高楊枝」にひっくりかえって、それが、近代にまで尾を引いていくんです。

「本気」を失った日本人

――なるほど、いわゆる「建前」だった「武士は食わねど高楊枝」が、いつの間にか日本人の「本音」を侵食していき、気がつかないうちに現実感覚を狂わせていったんですね。

これは片山杜秀さんが『未完のファシズム』で書いて有名になった話ですが、皇道派の青年将校がまさにそれですね。第一次世界大戦レベルの総力戦になった場合、「持たざる国」の日本が、「持てる国」と長期戦を戦うのは無理だから、戦争は短期決戦に限って、だから精神力強化を図ろうというのが皇道派の本来の言い分だったはずなんです。でも、それが、いつの間にか、「短期決戦に限って」という部分が抜け落ちて、「精神力を鍛えよう」というところだけが残って、果ては「一億玉砕」の掛け声となり、あの敗戦を導くことになる。

その点、緊急措置だったはずの緊急事態宣言やリモート授業を、いつの間にか二年も引き延ばして、「欲しがりません勝つまでは」とやってる今の政府や大学のやり方は、昔の軍部と何も変わりませんよ。

養老　**よくも悪くも、若い世代っていうのは、今、目の前の状況を相対化する経験がないので、どんな状況に置かれても、何とか、それに適応しちゃうんですよ。大学で教えていたとき、しみじみそう思った。東大の医学部で、設備は古いし、学生に対する手当も悪いんだけど、学生は平気でいる。それで、なんでなのかなと思ったら、比較するものがないので、「こんなもんだ」って思っていると。若い人ぐらいだましやすい人はいない。**

――感染収束後に大学の授業が再開されて初めて、ようやく学生も自分の失ったものが何だったかについて考え始めるのかもしれませんね。

養老　**別に、「コロナ」そのものは何も変わったりしてねぇじゃねえかって。それで最近、いつも思うのは、誰も「本気」じゃないなって気がするんですよ。「お前ら、本気でやってんのか」って、人のこと言っちゃいけないんだけど（笑）。**

――それは、最初にお話をした「自立」とも関係するお話ですね。

養老　そもそも、社会施策そのものが、「どうしても」っていう必然性から出てきにくいっていうところがあるんですよ。官僚だって、今は二年で交代ですからね。そういう仕事をやらされると、何となく「腰掛け」みたいな感じになっちゃうでしょ。でも、「俺、知らねえ」で済ますのもまずいので、じゃあ、システム化してＡＩにやらせりゃいいじゃねぇかと、こう思ってるわけ（笑）。それで、ますますシステム化が進んでいってしまうと。

「意見」が先で、「事実」が後になってしまった時代

――でも、いくらＡＩと言っても、所詮は人工知能なわけで、無限の視点の先取りはできませんから、どこかに限界があることは当たり前の話なんですけどね。

養老　でも、今は、その「当たり前」が分からなくなっちゃった。理由は極めて簡単でね、身の回りの生活から第一次産業がなくなったからですよ。農業でも、漁業でも、林業でもいいんだけど、直接に「もの」に触れあう経験さえあれば、「自然」が解釈だけで動かせないことくらいはすぐ分かるから、ＡＩ的な思考にもブレーキがか

かったんでしょうけど。

現に、僕らが若い頃はそうでしたよ。分かったようなことを生意気に言うと、「そんなに言うならやってみな」って言われてね、その都度、へこんでましたけど（笑）。若い頃はいろいろ理屈を言ってみるけど、そうはいかねえよって、年寄りは知ってるわけだ。でも、今は逆ですからね。ＳＮＳが先だから。「意見」なり「感想」なりが先になってて、「事実」が後追いになっている。そのうち、誰かが「意見」に合わない「事実」を見つけてくると、「事実のほうが間違っている！」って言いかねないよ。若い人は大変です、これからは特に。

――「事実」が「意見」の後を追いかけるというのはキツイですね。最近では、「ポスト・トゥルース」（真実以後）なんていう言葉も出始めていますが、しかし、それって、ジョージ・オーウェルが『１９８４』で描いた世界のまんまというか、まさに「意見」を先にして「事実」を後にした全体主義的未来が、そこまで来ているってことになりますすね。

養老　現に、『１９８４』が描いた歴史改竄みたいなことを、もう、やってるじゃないですか、財務省による公文書改竄事件。ドキュメントの意味なんて、もうないよ。

——本当に、そうですね。

これは、養老先生がおっしゃる「都市化」や「脳化」の問題とも関係しますが、第一次産業が生活世界から消えるのが、だいたい高度成長が終わる一九七〇年代頃なんですね。たしか、就業人口の農業従事者が二割を切るのが、一九七〇年で、第三次産業の人口が五割を超えるのが、一九七五年。実際、社会学者の見田宗介なんかは、そんな、リアルなもの、ナマなものがなくなっていく時代を指して「虚構の時代」だと言っています。

もちろん、それでも「一億総中流」の幻想があったうちは、それが辛うじて共同体の枠組みにもなったんでしょうけど、今や、それさえボロボロで、もはや人々の疑心暗鬼を止める歯止めもなくなって、どんな「うそ」でも罷り通る世の中になってしまいましたね。

養老 **僕が育ったのは、高度成長以前だから、「リアルなもの」以外なかった（笑）。テレビなんかなかったし、今は床暖房入れてるけど、こんなものもなかった。何にもない時代だったから、何を考えるにしてもシステムなんかに頼れなかった。そ**

の場合、「考える」っていうのは、頭の中だけで考えることじゃなくて、実際に身体を動かして、「もの」に働きかけながら考えるってことなんですよ。こうやってもダメ、ああやってもダメってね。

でも、ずっと「こうすれば、ああなる」の世界で育っちゃうと、何が「うそ」で、何が「うそでない」かの基準が見えなくなっちゃう。だって、説明さえ整合的なら何でもいいんですから。近代化だ、進歩だといって「リアルなもの」を消していってしまったでしょ。何にも考えずに消していったんだと思うけど、それが今になって、響いてきてるね。

自足について——坂口恭平と自己本位

養老 ところで、浜崎さんと同じ世代だと思うけど、坂口君って知ってます?

——ああ、坂口恭平さん（一九七八年生・建築家、作家、アーティスト）ですね。

養老 国のあり方、住まいのあり方、脳の錯覚のことなんか、彼はいろんなこと書いてますけど、あれは、見事なもんだなと思う。彼は躁鬱《そううつ》なんだよね。

――らしいですね。今では、その経験をもとに自殺相談にも乗っているとか。

養老　**彼は、その躁鬱といかに折り合うかってずっと苦労してきたわけでしょ。それで、その結論が、「居心地の悪いところから立ち去る」っていうことと、それから「資質に合わないことはやらない」ってことらしい。それで、みんなが「自足」してくれると、社会ってもっと落ち着くんじゃないかなと。なんで必死になって余計なことをするんだろうっていう。**

それで、猫が参考になるんだって（笑）。猫の生き方って、典型的にそうですよね。居心地の悪いとこにはいないっていう。それで今、猫を飼うのがはやってるけど、みんなどっかで思ってんじゃないのかな。ああいうふうに生きられたらって。居心地の悪い世界作っちゃったからね、わざわざ。なぜそんなことをするんだろうっていうのは、あるよね。

――なるほど、「社会はこうあるべきだ」とか、「政治はこうあるべきだ」とか、今、みんなの眼は外に向いてるけど、順番が逆ではないかと。視線を折り返して、まず自分が「自足」する方法を知ろうと。それさえ分かれば、自然と社会も落ち着いてくるんですね。

養老　その点、彼の提案ってものすごい具体的ですからね。「日課表」を作れとか。

――日課表ですか。

養老　「日課表」っていうのは、自分の生活に「自足」するコツなんですよ。前もって日課をセットしとけば、それに従って心と身体を整えることができるし、目まぐるしく変わっていく周囲に合わせる必要もなくなるから、少しは焦りも和らぐだろうと。

――なるほど、禅宗の「作務《さむ》」と似ていますね。そもそも「修行」というのは、「反復すること」「繰り返すこと」の意味があるらしいんですが、食べて、排泄して、働いて、寝るということの単純な繰り返し、その日課のなかに、目的や意味への囚われを消していくらしいですね。

坂口さんが最初に研究してた「段ボールハウス」っていうのにも同じような匂いがありますが、自分の生活に「自足」していくためのコツのようなものを書いているんですね。

養老　坂口君は、もともと大学で建築を勉強してたんですよ。でも、段ボールハウスっていうのは、「建築」っていう概念の正反対なんです。要するに建築物っていうのは上から目線で作らないといけない。まさに「設計図」がそうでしょ。神様目線で描くわけですよ。でも、彼はそれができない。逆に自分からの目線でないと家が想像できないんですよ。それで、自分にピッタリ合う「服」を作るみたいに、段ボールハウスを作るんです。

――なるほど。外の目線ではなく、自己本位の目線から考えていくんですね。

養老　だから、最近、僕はよく「自足」っていう言葉を考えるんですよ。「足るを知る」と言ってもいいけれど、自分で足りている人っていうのは、周囲で何が起こってもあんまり影響を受けないでしょ。本当は、身近なところで、「自分が一番居心地のいい状態」っていうのを各人が発見しておかなきゃいけないんです。でも、近代社会っていうのはその余裕を与えないんですね。その「自足」を見つけ出すまでの時間や余裕を、仕事なり何なりの世界に放り込んじゃうわけです。それで結局、お互いにイライラしちゃうんだね。でも、自足してる人って他人にケンカ売らないでしょ。だから、猫ですよ。何か気になることがあったら、ちょっとのぞきに来るけど、すぐいなくなるっていうね（笑）。ただ、どういうふうにしたら「自足」できるのかっていうのは、頭では分かんないんです。坂口君も書いてるけど、それは身体の問題なんですよ。決して心の問題じゃない。

瞑想と身体──「意識」の突き放し方

──「自足」が、心でなく身体の問題だというのは、よく分かります。ここ数年、学生とスピノザを読むことが多いんですが、彼も、自分自身の「力能」の捉え方というか、「自足」の見出し方を、心や意識にではなくて身体に求めていますね。というのも、意識というのはイメージに囚われやすいので、信用ならないんだと（笑）。

養老　坂口君の本だと、呼吸とか脈拍を使うんですって。内臓のなかで、自分がある程度コントロールできるものって、それくらいしかない。だって、肝臓を上手に働かせるとかできないでしょ（笑）。それで、そうかと思って読んでいたら、「何だこれ、宗教でやってるのと同じじゃないか」と気がついてね。呼吸の規則を整えてって、座禅とか瞑想《めいそう》とか、いろいろありますけど、それみんな「自足」を発見する方法なのかなと。

——これは偶然なんですが、実は僕も、最近ときどき瞑想するようになったんですよ（笑）。

昔から道元さんが好きだったというのもありますが、やはり、このコロナ騒動のバカバカしさにイライラすることが多くて（笑）、これじゃダメだと思って、「意識」を突き放すためにときどき座り始めたんです。で、やってみると、これが不思議で、たしかに「人は人、自分は自分」という感じで落ち着いてくるんですね（笑）。「人」というのは、自分の意識が勝手に作り出したイメージで、「自分」というのは、今ここで息をしている身体なんだと。その違いを手放さずに自覚すれば、次第に、他者との適切な距離も見えてくるし、するべき仕事も自ずと見えてくる。

養老　**坂口君の場合は、躁になっても困るし、鬱になっても困るんで、そうならないためにどうするかっていうのをずっと小さいときから考え続けてきた結果として、ある種の身体技法に辿り着いたんでしょうね。躁鬱だと社会生活への適応が難しくなっちゃうから。**

——養老先生自身も、四十歳過ぎまで「あいさつ」が上手くできなかったという話を書いていらっしゃいますが、その意味では、あるところまでは養老先生自身が坂口さん的なものを抱え持っていたというか、「意識」に苦しんできたということがあるんでしょうか。

養老　**「あいさつ」でもなんでもいいんだけど、何かにこだわり続けるっていうのは、やっぱり意識に関する苦しみなんですね。今なら、トラウマとか言うのかもしれないけど。**

――たしか、養老先生が五歳になる頃に亡くなったお父さんに、「さよなら」を言えなかったことが尾を引いていて、「あいさつ」が苦手になったのではないかと。

養老　**そうです。だから、「抑圧」とは何かとか、「無意識」とは何かとか、読まなくてもフロイドの言っていることが分かっちゃう（笑）。何かトラウマを抱えていると、人は必ずどこかで変なことをする。それで、トラウマが解消されると行動が修正されるんです。実際、あるとき、地下鉄のホームで、「あれだったんだ」と、父親の死とあいさつとの関係が納得できてからは、こだわりは消えて、あいさつは「ただのあいさつ」に変わりましたね。**

虫と「不気味なもの」

――養老先生の虫好きも、それと何か関係しているんですかね。

養老　**あるかもしれないですね。**

――というのも、うちの六歳の息子が昆虫図鑑とかを読んでいるんですけど、隣で見てると、大人でも「なんでこんなものが存在しているんだ?」という不思議な感覚に襲われるんですよ。実際うちの息子は、昆虫図鑑は好きな癖に、本物の虫に触るのは嫌らしくて、虫を異様に恐がるんですよね。これは何かあるのかなと思って(笑)。

養老　**恐がるってことは、関心があるんですよ。僕だって嫌いな虫はありますからね。虫好きなやつでも、たとえば図鑑書いてるぐらいの専門に近い人でも、大嫌いな虫はありますから。芋虫がまったく駄目とかね(笑)。当たり前だけど、好き嫌いって必ずあるわけ。**

でも、結局、虫は好きになろうが嫌いになろうが無難なんですよ。この好き嫌いを、人間や、人間の作ったものに向けると面倒なことになるでしょ。その点、虫は安

全なんです（笑）。そういう、好き嫌いが自由に言えるところを含めて、虫好きは虫が好きなんですよ。

――なるほど。虫が「脳化社会」の穴になっているんですね。

養老　**だから、虫って、日本語のなかによく出てきますよね。「虫が好く」とか「虫が好かない」とか、あるいは「虫の居所が悪い」とか。**

――たしかに。その場合の「虫」って、ほとんど無意識のことですね。

養老　**そう。昔の人はそういう言葉がなかったから、なんでも「虫」のせいにした（笑）。ちょっと得体が知れないとこがあって、不気味っちゃ、不気味ですからね。**

――そうですね。子どもと図鑑を眺めていると、「なんで、こんなにも哺乳類とかけ離れているんだ」とか、「なんで、こんなヘンテコな形になるんだ」とか思えてきて、改めて「不気味だなぁ」というか、「謎だなぁ」という感じになってきて（笑）。でも、もしかすると、この「不気味なもの」と付き合い続けてきたことが、養老先生の柔軟さというか、自由な発想を可能にしてきたんじゃないかという気もしてきて。

養老　**「不気味」って正体不明ってことですからね。正体不明が好きなんですよ。**

解剖学と保守思想

ですよ。

養老　「不気味」ってことで言ったら、まず解剖学がそうでしょ。死体というものはだいたい不気味だからね。あれは「人間そのものの不気味さ」を相手にしているんですよ。

それで面白かったのは、大学の研究室にお客さんが来たとき。人体というのは、その一部分でも、普通は机の上とかに置かれるもんじゃないんです。でも、僕は、よく置いてたから、それを見たお客さんはびっくりしてね、「なんですか、これ」って、「手じゃねえか」って。でも、こっちとしては、「なんで手が気持ち悪いんです、お前さんだって持ってるだろう」ってね。相手は「死んでいる人体は気持ち悪い」って言うんだけど、「あんたもいずれ死ぬんでしょ、未来の自分だよ」って言っても、なかなか伝わらない（笑）。

でも、死体が、どうしても気味悪いっていう人は、実は、自分と折り合いがついていないんですよ。自分と折り合いがついてない人ほど、付き合いにくい人はない。自分の「死」と折り合いがついていないってことは、「自足」してないってことですから**ね。**

――そうですね。「死」を含めて自分の「自然」ですから、「死」と折り合えない人というのは、自分自身に対して何か嘘をついているということになりますよね。

それで思い出すのは、やっぱり小林秀雄とか、福田恆存なんかなんですが、彼らもまた、与えられた「生と死」のリズムに即して人生を整え、「自足」して生きることを説いていました。もし、この国に保守思想なんてものがあるんだとしたら、それを基盤にするしかないだろうと、僕なんかは思っているんですが、もちろん、そのうえで、「死」を否定する近代主義（進歩主義）に抵抗する必要はあるだろうし、死者との間に紐帯を保つための国家も必要にはなるんだろうけど、でも、それが目的ではないんです。それが「保守」と「右翼」の違いではないかと。

だから以前、失礼を承知で、「養老先生は保守ではないのか」と申し上げたのも、その意味だったんですが、でも、この感覚は、世間的にはなかなか通じにくいですね（笑）。

養老　いやいや、僕も、自分のことを進歩的と思ったことはないから（笑）。

でも、それも間違いなく、仕事とも関係ありますよ。つまり、虫とか人体っていうのは、むきだしの「自然」ですから。「自然」っていうのは、要するに人が意識的に作っていないもの。それを相手にしてると、やっぱり、いつも何か気づかされるものがある。

たとえば、人間が造った人工物だけを相手にしていると、「それは、あってはならないのだ」とか勝手なことが言えるようになってくるんだけど、虫とか人体を相手にしていると、「あるものはあるんだから、しょうがねえだろう」って、最後は開き直るしかない（笑）。

――なるほど、その点、「バカの壁」（人工物）のなかで育ったインテリが、「そうあってはならない」とか、「こうあるべきだ」とか言って、糸の切れた凧みたいに舞い上がっていっちゃうのもそれなんでしょうね。まずは与えられた「自然」から始めようと。

その点、今回、改めて養老先生の本を拝読させてもらって初めて知ったんですが、一言に「解剖学」と言っても、いろいろと分野があって、その性格も全く違うようですね。

養老　法医解剖と、病理解剖と、系統解剖。

――なかでも、養老先生は系統解剖学を専門になさっていて、でも、系統解剖学って、死体を前に「ヒトのからだは、どんなふうにできているか」と純粋に考える営みなので、これはしんどい学問だろうなと思ったんです。「社会的有用性」を言い訳にできないし、そこで三十五年間、ずっとヒトと向き合うっていうのは凄まじいことなんではなかろうかと。

養老　大学院生の頃、そこが一番苦しかったところですね。それこそワクチン作ろうっていうなら何の疑いもないけど、ヒトの体を解剖するとなると、その問題も、答えも、全部自分で調達しなきゃいけない。だから僕、若いとき思ったのは、臨床っていいなと。だって、臨床に行くと、患者さんが来るでしょ。患者さんって、何と問題を抱えてきてくれるわけです。問題が向こうから歩いて来るのって楽だなと（笑）。

――問題が分かれば、解けばいいんですもんね。

養老　そう。でも、解剖学なんかやってるとね、逆に、人間って答えだっていう気がする、問題じゃなくてね。生命に関するありとあらゆる出来事があって、それらを全部通り抜けて、今、眼の前に、三十六億年分の生命の答えがあるんだと。問題じゃ

ねえ、答えだと思った。

しかし、そうなると今度は、「じゃあ問題って何だったんだ」っていうのが問題になってきてね。でも、それって、まさに保守の命題でもあるんじゃないですか（笑）。

「かたち」を読むこと

――おっしゃる通りです（笑）。今、眼の前にある人体と同じで、今、目の前にある「文化」というのは、もちろん変化の余地はありますが、一つの「答え」なんですね。

たとえば古典を考えると分かりやすいんですが、さすがに三十六億年とはいかないものの（笑）、それでも古典は古典で、数百年から数千年の風雪に耐えて残った「かたち」を示しています。だから、こちらは、その「かたち」を前に謙虚になって、それに倣いながら、そこから何を読み出せるのかを考えるしかないんです。そういえば、養老先生の最初の本も……。

養老　**『形を読む』ですね。**

——そう、『形を読む』。著者を前にして言うのはなんですが（笑）、この本は、生命が示している形を前に、「対応関係」（相同と相似）や「くり返し」（重複、剰余）などの概念を駆使しながら、一つの形態に対する解釈のあり方を問い直している本で、最初読ませていただいたときは、「これぞテクストクリティークだ！」と思わず叫んでしまいました（笑）。

「死体をにらんで、うなっている。解剖すればいいのだが、はて解剖してなにを見ればいいのか」とか、「私がなにか、そこに『意味』を見いださなければ、これはただの死体にすぎない」とかいう感覚は、そのまま、ある作品を前にした批評家の感覚ですよ。

養老　**実は、あれ、元は結構古いんです。**

——二〇二〇年の初めに、講談社学術文庫で再刊されていますが、初版は一九八六年ですから、五十歳前後のお仕事ですよね。

養老　**でも、あれに書いたようなことは、だいたい助教時代から考えていたことなんです、それを纏める感じで、最初の本を書いたんです。**

——それから養老先生は、自由に発言され始めるんですよね。

養老　いろんなものがたまってきちゃったんでしょうね。

しかも、それが自然科学の世界ではアウトプットができないものだったんですよ。学会でしゃべっても相手にしてもらえないっていう（笑）。「解剖学とは何か」って話しても、「哲学と一緒でしょ、それは」って言われちゃうし。でも、こっちは「哲学者がそんなこと考えるわけないだろう」ってね。

たとえば、目の前にあるものを、死体なら死体をどう考えるかっていうのは、本当にやっかいな問題で。でもね、不思議なことに、それとずっと付き合っていると、その形がひとりでに見えてくるんですよ。本当に「ひとりでに」って言うしかない感じで。

――その「ひとりでに」というところに、「時効」（エドマンド・バーグ）なんていう概念もでてくるんでしょうね。

養老　自分で意識してたのは、すぐそばに標本室があって、そこの標本から受ける感じです。一つ目とか、シャム双生児とか、そういう奇形がたくさんあるんだけど、それがいつの間にか、人に見えてくるんです。それこそ初めは、何か不気味なもの、異様なものなんだけど、時間が経つうちに、「これもヒトなんだ」って言うとおかしいんだけど、ごく自然に見えてくるようになってくる。そうなるまでに十年ぐらいはかかる。死体もそうだけど、人が亡くなった直後は、なんか特殊な感じというか、不気味な感じがするでしょ。それにやがて慣れていって、違和感がなくなってきて、「ヒトだ」という感じになってくるんです。

でも、そういう時間的な身体を切り捨てることで、僕が言う「脳化社会」が成り立つ、都会が成り立つんですね。都会は死体をそばに置かない。死んだ人がいたら即座に片付ける。で、誰が片付けるんだってところから被差別が始まるわけです。お前らはあっちってという。

解剖学と被差別

――死体に触れた人間は不浄なものとされるので、日常から切り離されてしまうんでしょうね。ただ、一方で神秘化もされるので、反転して天皇なんかとも結びつくと。天皇の棺を担いだと言われる八瀬童子なんかは、天皇の風呂とか、厠の処理まで任されてたらしいですが、要するに、「不気味なもの」に触れている人間は、社会の上方（高天原）か下方（黄泉國）かに排除されてしまうんですね。

養老　おそらく、その人たちを中心に持ってくると、社会が壊れるみたいな感覚が本能的にあったんじゃないですか。それこそ身体がありふれてたのは、戦国時代くらいのもので。

でも、ときどき、なんでそんな身体の時代が終わったんだろうかと考えるんだけど、女性の力が大きかったんじゃないかなと。それで非常に印象に残ってるのは、黒澤明が『マクベス』を翻案して撮った『蜘蛛巣城』ですね。映画のなかで、女が首を洗ってるシーンがあるんですよ。男どもは誰々の大将の首を取ったとか勇ましく言ってるんだけど、それを誰が始末をしていたんだろうと思ってたら、女性が小川で首を洗ってるんですね。

そういう時代は珍しいけど、お市の方（織田信長の十三歳年下の妹）とかも、相当ひどい目にあってるでしょ。政略結婚で嫁がされた先で、自分のだんな（浅井長政）を兄さんに殺されて、その兄さんが死んだ後は柴田勝家に嫁ぐんだけど、それも賤ヶ岳の戦いで敗れて、共に自害すると。それで、もういい加減にやめたらって、生活できないと子どもも産めませんよって（笑）。

でも、そういうこと、あんまり考えないでしょ、普通。いろんな身体が日常的に目の前にあって、生活の中に現れているんですよ。それが戦国時代だった。

――そうか、養老先生は、首を洗っている女というか、身体を日常的に生きてた頃の日本人の感覚を、解剖学の仕事を通じて引き継いでいるんですね。

養老　そうですね。その点じゃあ、みんな『蘭学事始』を真面目に読んでないなって思う。ごく普通に読んだって、引っかかるところがいくつも出てくるはずなんです。

最初に、あれは町奉行から使いが来て、「明日、小塚原で刑死者の解剖があるから」と。だから、解剖は杉田玄白が自分で計画したことじゃないんだ、江戸幕府がやってたことなんだって分かる。それで玄白は、前野良沢とか中川淳庵なんかの友達を呼びに行くんだけど、当日、死体を解体するのは彼らじゃない。死体は穢多の虎松が解体するはずだったんだけど、彼が熱出しちゃって、そのおじいちゃんっていうのが出てくるんですね。そこで玄白は見てるだけで、実際に解体をやってるのは被差別民だったことが分かる。これが肝臓、これが腎臓とかって蘭学者に教えているのを読むと、実地の解剖を医者に教えてたのは穢多なんだっていうことが分かるんです。その点、俺は被差別民の仕事を引き継いでるんだなと。

やっぱり自分には、意識よりも、その実地で当たれる状況のほうが大きいんですよ。

――なるほど、観念よりも、目の前にある現実のほうに従ってきたんだと。

養老　それを「現実」と言っていいかどうかは分かんないんだけど、今でもそうですよ、だから、考え方が状況依存的なんです。だいたい嫌われるんですけどね、学者の中では（笑）。

第五章

「自足」することと、「自立」すること

「修身」を忘れた現代人

――死体や、虫という一見して「不気味なもの」に触れ続けてきたことが、そのまま、「バカの壁」というか、人々が思い込んでいる様々な観念を突き放すための距離を担保させて、それが、養老先生自身の思考の自由を守ってきたというお話は興味深いですね。

実際、「バカの壁」の内側に安住する限り、自分自身の本当の欲望に目覚めることはないでしょうし、自分自身の「自立」を真剣に考えることもないでしょうからね。

養老 僕らが小学校に入った頃は戦争中でね、「修身」って科目があったんだけど、その「修身」って、もともとの意味は「自立して生きていく」って意味だったんですよ。

――まさに、「身を修める」ですね。

養老 よく「人に迷惑かけるな」って言いますけど、それも「自立」と関係していて、要するに人さまに余計なことをしないってことです。孔子の「矩《のり》を踰《こ》えず」っていうのもそれでね、いくら自分の考えを他人に押しつけても、押しつけられてる相手が満足しなきゃ話になんないわけで、やりすぎると争いが起きるから、自分の「自立」も危うくなる。

古来の人は、そういう自立した人で作る社会を理想にしてたんだなと、つくづく思うわけです。だから「修身」の後には「斉家」とくるでしょ。それで「治国平天下」になる。その点じゃ、みんな猫飼って、猫を見習えばいいんですよ、それで円く収まる（笑）。

――確かに、猫は「自立」していますね（笑）。

養老　さっき話した坂口恭平くんなんだけど、彼は、自分の電話番号を公開して「死にたくなったらかけろ」っていう「いのっちの電話」というのをやっているんですって。それで、二万件くらい電話を受けて思ったのは、「人の悩みっていうのは全部同じだ」ってことらしい。悩みっていうのは、「人がどう見るか、人からどう見られてるか」っていうことに関するものばかりで、人間の悩みの中心にあるのはそれだけなんだってね。

――「悩み」が、他人から見られた「外的自己」と、内に感じるしかない「内的自己」とのズレというか、不協和から出てくるという認識は、まさにR・D・レインの『引き裂かれた自己』と同じ認識ですね。でも、そうすると、まずは「承認」とは関係のない場所を確保した上で、そこで「修身」しておくことが、決定的に重要だということになりますね。

養老 それ、重要。今の時代だと、特に大事なことになってくると思う。それこそ、その反対がSNSでしょう。YouTubeで何人が見たかっていう「数字」が承認になる。そうすると、どうしても他人の評価を気にするようになるから、ますます悩みが多くなる。コメントだって具体的なものはないし、見ず知らずの他人の承認なんて、ふわふわしてあてになるもんじゃないんだけど、そんなものでも一喜一憂してしまう。

だから、僕は、現代について「入力過剰」だって言うんです。「入力」には「出力」が伴っていないといけないんだけど、今は、その「出力」が足りなさすぎるんですよ。

――「出力」なしの「入力」って、「社交」をなくした「自意識」とも言い換えられそうですね（笑）。他者との社交がなくなると、自意識に歯止めをかける現実感覚をなくしてしまうから、反省（脳）が暴走して、人は自意識過剰と疑心暗鬼のなかに落ち込んでいってしまう。

実際、今回のコロナの騒動のなかでも、ちょっと「自粛」に疑問を呈するだけで、「お前らは人殺しだ！」って、ものすごく攻撃的になる人がいっぱいいいて、『クライテリオン』も彼らから相当叩かれましたが（笑）、これって、やっぱり「自足してない人」というか、「出力」なしの「入力」の世界で「孤独感を抱えてしまった人たち」なんでしょうね。

養老 **いや、そうなんでしょう。ただ、今回のコロナに限らないのは、政治に対する言論が典型的にそうなっているでしょう。みんな自分の立場にしがみついて、いきり立って怒ってるわけ。政策論をするなら、まだ分かるけど、他人の考えなんか、そう変わるわけないいんだから、あんなもの怒ってもしょうがないいんだよ。イライラするだけでしょ（笑）。**

——みんな、自分だけは棚に上げたいんですね。それで自分の身を修める前に、他人を攻撃してしまう。でも、それだけ受動性や不安に駆られやすい時代だということなんでしょうね。

養老　その攻撃というのを、僕らは全共闘に散々やられたんですよ。東大紛争の頃に医学部が元凶とか言われてね。そのとき、僕はしみじみ思いましたよ、「やっぱり皆さん優秀だから良くねえんだな」と。だから「東大とか、そういう人を孤独にする優秀さは、一回ぶっ壊れればいいんだよ」って。でも、壊れなかった。やっぱり、そこに問題があったんでしょう。

「団塊の世代」について

――全共闘って、だいたい団塊の世代（一九四七年～一九四九年生まれ）と重なっているんですが、それで、いつも不思議に思うのは、僕なんかの世代と、団塊世代は全く合わないのに（笑）、逆に養老先生の世代というか、戦争を知っている世代とは話ができることが多いんですね（笑）。そもそも、西部邁先生が一九三九年生まれで、ギリギリ戦争を知っている世代でしたが、そっちのほうが、断然「会話ができる」という感覚があります。

団塊世代と言うのは、もちろん例外はありますが、戦中世代に対する「反動」で生きて来たところがあるので、その分「戦後的レール」を相対化する力を著しく欠いているのかなと（笑）。その点、戦前生まれの方には、敗戦という断裂があるし、僕たちにもバブルから平成デフレーションへの断裂の感覚がある。それで、社会に対する距離感というか、自分で考えざるを得ないじゃないかという感覚を持つことができるのかなと時々思うんですが。

養老　**やっぱり団塊は変わってますよ、人数が多いから社会の趨勢を作れちゃったけど。僕は、考えの上で団塊と喧嘩しながらきたようなものです。今はしませんけど。**

そういえば、僕の先生が言ってましたよ、「全共闘、あいつらはバカだ」と。

――アハハ、たしかに「バリケード」って「バカの壁」っぽいですね（笑）。

養老　**やっぱり、さっき言った「自足」みたいな考えが一番ない世代なんじゃないかな。自分の不満を全部、社会のほうにもってっちゃう。**

――そうですね。何か不満があったとき、その原因を外に投影して他人を攻撃するので、自分を変える必然を自覚しない。それで凝り固まってしまうんでしょうね。

それで言うと、今の「大学アカデミズム」がまさにそれです。あまりに「団塊的」

なので僕は付き合わないようにしているんですが（笑）、彼らの「権力」への執着は凄まじい。

それに比べて、例えば僕の師匠である井口時男という文芸批評家は、僕を大学から出したら、さっさと東工大を辞めちゃって（笑）、それからは何の囲いもない場所で、蓮田善明論とか金子兜太論とか、地味ですが本当に素晴らしい仕事を続けている。養老先生も定年前で辞めてらっしゃって、つくづく「自立」というのは、こういうことなんだろうなと。

養老　もともと大学の「定年」ってそういうもんなんですよ。教授会の申し合わせ事項でしかないんだから、「俺は賛成しない」って言えば、それはそれで通る話になっていないとおかしいんです。別に文科省が一方的に決めているわけじゃない。僕のときでも、確か京都大学は「定年」を決めてなかったし、東京医科歯科大は六十五でしたね。東京藝大に至っては七十近かったんじゃない？　日本画の大先生なんか年寄りに決まってんだから（笑）。

——養老先生が、定年前に大学を辞めたのは、何かきっかけがあったんですか。

養老　いろいろありましたよ。一つは、肺がんじゃないかっていう、疑いですけどね。このままいったら、好きなことを何にもしないで終わりになっちゃうと思って。

――たしか、大学を辞めたその日は、今まで見たことがないほどに空が青かったと。

養老 信じられないぐらい明るくなりましたね。女房が言うもん、それまでは暗い顔をしてたって（笑）。

「ダブルスタンダード」の拒絶――学問と人生

養老 あと、もう一つ言うと、やっぱり歳を取るにつれて、ダブルスタンダードが嫌になっちゃったんでしょうね。学問と人生との間にあるズレというかね。

――というと？

養老 僕が学者として育った時代は、ちょっと特殊な時代でね、ちょうど「生物学」が、「分子生物学」に変わっていく時代だったんです。

そうじゃない仕事っていうのは、たとえば、ゴリラ研究で有名な京都大学の山極壽一さん（霊長類学者、元京都大学総長）なんかが典型だけど、「ゴリラ見てどうするの？」って言われちゃうような時代になった。要するに、実験室に閉じこもっちゃう時代です。

当然、冷暖房付きの実験室のなかでネズミを飼って実験なんかをやってると、現実の生き物が見えなくなっちゃうから、一九七〇年頃にアメリカにあるスミソニアン博物館ってとこに生物学者が集まってね、多様な生物のあり方を自覚しましょうっていうんで作り出したのが「生物多様性」って言葉。それまでも「バイオロジカルダイバーシティ」っていう言葉はあったんだけど、それを縮めて「バイオダイバーシティ」と言った。抜けた言葉は「ロジカル」（笑）。頭の中では、しょっちゅう、そういうことに反論してたんですよ。

――なるほど、「分子生物学」というのは、生物を要素にバラして見るというか、生命現象を分子レベルに還元して構造化する科学だから、ある種の機械論になっちゃうし、そうすると、生物が本来示している一回性や、ホーリズム（生命体は、それを構成する部分の算術的総和以上のものであるとする考え）なんかの現象とは矛盾してしまうんですね。

養老　そういう考え方は、「生物」には合わないじゃないかということです。「分子生物学」ってのは、論理的に科学的に考えていくわけでしょ、実験室で。それでよく「再現可能性」なんて言うんだけど、でも、生き物に「再現可能性」なんてあるわけがない。「進化」っていうのは一回性の歴史なんだから。そういうのをどう考えるかって、実験室の中で「再現可能性」だけを追っているような学問に分かるわけがないってね。

それと、もう一つは、そういうふうに分析的に、論理的に「再現可能性」を追究していくと、人間ってそんな器用じゃないから、自分の人生そのものも、そんなふうに考えるようになっちゃうんですよ。でも、それはできない話でしょ。人生なんて、およそで「再現不可能性」の最たるもので。そうすると、どうしても、学問と人生のダブルスタンダードをやんなきゃいけない。でも、「そんな器用なこと、俺、できねえよ」と思って（笑）。

――なるほど、「人生の現実」と「科学の観念」が一致しないんですね。

養老　仕事ではこう考える、だけど、人生は別に考える。そんなに人間は器用じゃないよってね、そこが嫌なんです。実際、アメリカ人なんか平気で、自分の研究のことを「This game」って言いますからね。だから、生物学とか医学を志して、その門をくぐると、いつの間にか、そういうゲームというか、「シミュレーション」をやらされている。

でも、そういう考え方が、今、全面化しているし、社会もそっちのほうを向いている。だから、個人の現実と合わないわけで、みんな、息苦しくなっていくばかりでしょ。

——それ、凄く分かります（笑）。自分の話で恐縮なんですが、僕も、大学院に入った以上は、けじめとして研究論文を書くべきだと思って書きましたが、でも、本当に辛かった（笑）。ただ、論文を書くことそれ自体が辛かったんじゃなくて、それこそ、文学をシステマティックに「研究」するという営みが、全く文学的ではないことが辛かったんですよ。

もちろん全集の編纂なんかは大変な仕事で、そういう研究には感謝しているんです。でも、例えば、『源氏物語』なんかの研究で、「『あはれ』より、『をかし』が使われている回数のほうが多いから、実は源氏は『をかし』の文学だ」って、それはないだろうと（笑）。そんな話ばかりを聞かされていると、ほとほと文学研究が嫌になってしまって。しかも、特に近代文学の場合だと、研究者ではなく、批評家が歴史を作ってきたという事実もあるわけで、そうなると、もう、大学のアカデミズムっていうのは「重箱の隅」をほじくる以外に仕事がなくなってきてしまう。しかし、それこそ、文学から一番遠い仕事ではないかと。

「アート」の居場所

――それで言うと、二〇一七年に出された『遺言。』のなかで、養老先生が「いうなればアートは『同じ』を中心とする文明世界の解毒剤とも言える」と書いていらっしゃるのには深く頷かされました。一期一会の出会いとか、それぞれ「違う」一回性の体験のなかにある「アート」は、究極的には世界を「同じ」にするシステムからはみ出ている経験なんですが、しかし、そのはみ出した部分を何とか伝達しようとする「最前線の試み」でもあると。

養老 それもやっぱり、「自足」と関係しているんですよ。やっぱり自分は「文学」とか「アート」が好きだから、そういうものとどうやったら「科学」が折り合うんだろうと。

——なるほど、養老先生には『身体の文学史』という著作もありますが、やっぱり「文学」は、ずっと好きでらっしゃったということですね。

養老　**そうですね。僕らの世代だと、近代文学の古典と言われるものは大抵読んでましたよ。明治の鴎外・漱石からはじまって、芥川龍之介なんかまで、何でも読みましたね。**

——養老先生の本を読んでいると、普通に幸田文とか太宰治の話がポンッと出てきたり、『古事記』とか『方丈記』の話なんかも例として引かれていたりして、でも、そういうことが普通に書ける科学者っていうのは、今は、ほとんどいないと思うんですよ。もし、医学部に行っていなかったら、文学部に行っていたみたいなことはなかったんですか。

養老　**それはない（笑）。というのも、僕の世代は、戦争中に「言葉」の詐欺に相当に引っかかりましたからね。「言葉は駄目だ」っていうか、そういう猜疑心があったんですよ。**

ただ長じるに及んで、気がついたら、やっぱり文学に馴染んでいたということはあ

りますよね。文学というのは「個別」と「普遍」の間にあるものを扱ってるわけでしょ。特殊な個人の話を通して人間の普遍性を描くわけだから、どこかしら科学と通じるところもある。

――その点、人間を一つの「山」と見なすと、そこに文学の側から登っていくのか、科学の側から登っていくのか、といった違いはあるとは思いますが、でも結局、頂上付近で見えてくる風景は、結構似ているものなのかもしれないと思うことがあります。

少し野暮な話になってしまって恐縮なんですが（笑）、ハイデガーの初期から後期への「転回」を印している作品に、『芸術作品の根源』っていう本があるんですが、そのなかでハイデガーは、「芸術」の営みを、「世界と大地の闘争」として定義しているんですね。

ここで「世界」って言われているのは、養老先生の言葉でいうと、物と物をイコール（同じ）で結んで概念化し、それを交換していく世界、つまり、言葉による概念操作によって対象を明るく照らし出していく科学的な領域だと。しかし、他方で、僕たちは言葉の限界で、「暗い大地」としか言いようのないものに直面することにもなる。そして、その「世界」と「大地」の接触点で、言葉にならないもの（大地）を、何とかして「言葉」（世界）に媒介しようとする葛藤が現れることになるんですが、それをハイデガーは、「世界と大地の闘争」と呼び、それを担っているものとして、「詩」や「芸術」を見出していくんです。

だから、「世界」の側（同一性）から「大地」の存在に直面しても、その反対に、「大地」の側（同一化できない差異）から「世界」へ向かっても、結局、その営みは「アート」としか言いようのないものに似てきてしまうのではないかと。

養老　そうですね。だから、物を考えていると、どうしても「アート」に辿り着いてしまうというか、「アート」が必要になってくるんです。「同じ」を極めた先にあるのが科学なら、「違い」を「違い」として、そのまま人に伝えるのが「アート」ですから、そういう意味では、「アート」って、必然的に生まれてきたもんなんです。概念（脳）だけでは生きていない人間が、どうしても欲してしまうものなんですよ、それは理屈の問題じゃない。

七〇年代という分岐点

養老　ところで、浜崎さん、今度三橋貴明さんのところで映像講座を出されていましたよね。

――ああ、『日本近現代精神史』（戦前篇・戦後篇・平成篇―経営科学出版）ですね。

養老　そこで漱石の話をしてたけど、日本人の「自立」って、まさに漱石がロンドン留学の終わりの頃に考えていた、あれなんだと思う。何か「文学」を根拠づけるものがあるんじゃないかと思ってイギリスに行ってはみたけど、結局何もなくて、それじゃ「自分で考えるしかない」と。それで一から『文学論』を書きはじめるんだけど、あれが「自立」なんだと思う。

――そして、それが「日本近代文学」の一つの起点になると。

養老　「文学」っていうのは、いくら人から聞いて勉強しようと思っても、何の役にも立たない。結局、自分の実感に基づいて、言葉を紡いでいくしかない作業だからね。

——おっしゃる通りです。漱石で言えば、好きな漢詩を仕事にするわけにもいかず、とはいえ英文学も肌に合わない。それで『文学論』を書いた後に、東京帝国大学の講師職を投げ打って「自立」することを覚悟して小説を書き始めるんですね。ただ、皮肉なのは、そんな実感を養う「身体」が、近代化が進めば進むほど、とくに戦後になってからは希薄になっていくことです。

漱石の場合、漢詩なんかに繋がる「身体」が、近代によって引き裂かれてしまうことによって、作家になっていった人間だと思いますが、しかし、過去の「型」が崩れれば、作家の身体性も希薄になってしまうので、その引き裂かれの「実感」も薄まってしまう。すると、自分自身が拠って立つ根拠も怪しくなってしまうので、養老先生も指摘されている「第一次産業」の衰退は、やっぱり文学的な「実感」にも大きく影響してきてしまうんだろうなと。

それで言うと、やっぱり決定的なのは七〇年代で、そのあたりから文学の質が変わっていくんですね。古井由吉や秋山駿、あるいは柄谷行人なんかの「内向の世代」が、おそらく、その最初の変質を示しているんですが、あの辺りから問題になって来るのが、「リアリティーの希薄さ」です。それ以前の大江健三郎なんかまでは、良くも悪くも、暑苦しいほどの「リアリティー」があるわけですが（笑）、でも、高度成長が完成する七〇年代辺りから、養老先生の言う「都市化社会」、「脳化社会」の問題が現れはじめ、人々が「身体」を失っていってしまう。それが「近代小説の終焉」とも重なっているという感じですね。

養老　それで記憶に残っているのは、大佛次郎賞の選考で、村上春樹が候補に挙がっていたことがあってね、その議論の中で、誰だったか審査員の一人が、「これは駄目だ」って言ったことがあった。それで、「何で駄目なの？」って聞いたら、「美空ひばりみたいな土俗性がない」って言うんだよ（笑）。確かに、村上春樹には、日本の土俗性はないでしょ。

――ないですね。春樹の場合、むしろ土俗性の否定が新しかったわけで（笑）。村上春樹が『風の歌を聞け』でデビューするのが一九七九年なんですが、その三年前の一九七六年に芥川賞をとったのが村上龍の『限りなく透明に近いブルー』。でも、こっちのほうには、まだ辛うじて敗戦国日本の土俗性というか身体性が残っている。そう考えると、現代文学の決定的な切断線は、やっぱり村上春樹以前と以後なのかもしれませんね。

子どもと教育

養老　それで言うと、身体とか、実感とか、人が「自立」するための基盤みたいなものを作っているものって、やっぱり、小さかった頃に触れた「自然」の記憶なんだと思う。

そこへいくと、今の学校は、やっぱり問題だと思いますね。いろいろ見たり、聞いたりしていると、小学校、中学校の義務教育って、大きくなってから日本の世間に上手く収まるような人を養成することだけを目的にしているとしか思えない。「先生の言うことをよく聞いて」、「周りをよく見て」、「変わったことはしないように」ってね。だから、壊れてくんじゃないかな、子どもたちが。実際、今、学校に行かない子どもたちが増えてるでしょ。

——フリースクールなんかも、だいぶ増えて来ていますよね。

養老　むかし、文科省の若い課長の話を聞いたことがあるんだけど、文科省自体が、先生方の集団って、もうどうしようもないんじゃないかと思ってるんですよ。日教組が、その典型だけど、子どもたちを一つのシステムのなかに当て嵌めて、それを教育だと思い込んでいる。

実際、勉強の点でも、本当に大事なのは中学でしょ。新井紀子さん（数学者、国立情報学研究所社会共有知研究センター長・教授。二〇一八年に出した『AI vs.教科書が読めない子どもたち』が話題に）も、データ的に読解力がつくのは中学生だって言ってるけど、逆に言うと、小学校は遊んでたっていいんですよ。フリースクールをやってる人たちも言ってますけど、小学校の間に何も教えなくても、そんなものは中学で十分追いつくって。当たり前でしょ、小学校の教科書なんか、中学生くらいになったら楽々読みますからね。

――新井紀子さんの議論は面白くて、ＡＩは「計算」と「暗記」には優れているけど、「文脈」を読み取る「読解力」は人間に劣るって言うんですよね。でも、それは考えてみれば当然の話で、「計算」と「暗記」は、与えられたシステム内部での仕事ですが、対して「読解」は、視点の多様性を感じ取る能力ですから、一つの「文脈」の内部だけでは完結しない。

でも、だからこそ、小学生のうちは、子どもを一つのシステムのなかに閉じ込めるんじゃなくて、色んな「遊び」のなかで、多様な文脈に触れておくべきなんでしょうね。

養老　**そうなんです、それは子どもを見てりゃ分かりますよね。でも、もっと大事なのは、実は、「子ども時代」がハッピーだったという「自足」の記憶なんです。それがないと、すぐに死にたいとか言い出すんだよ。ハッピーな思い出がないと、すぐに人生を悲観してしまう。いつのまにか、「子ども時代も人生のうち」っていう考え方がなくなっちゃった。**

――G・K・チェスタトンの「人生の最大限綱領」っていう格言に、「一人の良い女、一人の良い友人、一個の良い想い出、一冊の良い書物」って言葉がありますが、まさしく、「こういう日が良かったな」とか、「こういう友達と遊べて良かったな」とかいう「自足」の記憶があれば、それからズレたときに、自ずと「変だな」って分かりますもんね。

養老　**ええ、勝手に自分の具合が悪くなりますからね。ただ、人一人が「自足」する程度っていうのは大したことじゃないですよ、人の百倍ものを食おうっていうんじ**

ゃないんだから（笑）。それぞれ違うっていうことを前提にした上で、「私はこれでいい」ってことなんですよ。それが、「個性」とか、「自分の資質」とかっていうことの本当の意味なんです。

「実感信仰」の射程――「生き方」としての学問へ

――「私はこれでいい」ってことで言うと、『無思想の発見』（ちくま新書、二〇〇五年）のなかで養老先生は、結局、日本人の「無思想」という名の思想（脳＝意識ではなく、身体＝無意識に基礎を置く思想）を支えるには、「私はこうなんだ」ということを納得するための「実感信仰」に頼るしかないということを書いてらっしゃっていて、でも、これは丸山眞男が『日本の思想』（岩波新書）のなかで小林秀雄なんかを批判する文脈で使った言葉ですよね。それを知った上で、敢えて「実感信仰」という言葉をお使いになっている。

養老　**そうですね。**

――だから、この「私はこれでいい」を支えている「実感信仰」というのは、一見、何でもないことを言っているようで、実は「近代思想」を無化しちゃうくらいのことを言っているのではないかと（笑）。それは、自分のなかの何が自分の「反省」を止めているのか、何が自分の「意識」を休ませているのかという問題に直結しているのではないかと。

養老　**思想が無いから「無思想」って言っているわけですからね（笑）。**

――これは、完全に深読みなんですが（笑）、養老先生の「実感信仰」という言葉は、考えてみると近代主義から自由になるためのキータームのような気がしてくるんですね（笑）。

たとえば、宗教を失ってバラバラになった近代的個人というのは、自分で自分の生き方を決めなければならないので、ともすれば、自意識過剰の「反省」に憑りつかれてしまうことになります。「本当にこれが正しい選択なのか」って疑い出したら切りがないわけで、自分を反省してる自分（主体）を反省してる自分（メタ主体）を反省してる自分（メタメタ主体）を……って、「反省」がずっと続いてしまうことになる。そして、この「反省」の無限後退を、自己の「自由」の可能性へと読み換える、つまり、判断留保している精神の自由の無限性（イロニー）へと読み換えていったところに、近代ロマン主義の新しさが現れてくるんじゃないかと。

でも、だからロマン主義以降に、今度は、その果てしない反省の「自由」をどこで止めるのかということが理論的な問題になってきてしまう。デカルトであれば、「反省」は「神」への信頼で止めることができるんですが、でも、十九世紀以降は、もう「神は死んで」しまってる。そこで出て来たのが、ヘーゲルやマルクス流の「歴史主義」であり「進歩主義」ではなかったかと。要するに、彼らは「反省はいいが、それは将来到来するはずの〈絶対知〉のためなんですよ」という物語を作り出して、反省の自由を枠づけようとするんですね。

でも、それこそ、養老先生が批判されている一元的な「思想」ではないかと。実際、それらの「近代思想」や「進歩思想」は、反省する人間の「孤独を救う」どころか、二十世紀に現れてくる様々な政治的暴力――ナチズム、ファシズム、コミュニズム、全体主義、新自由主義――の大義名分となって、人々の心をますます孤独にしていってしまっているように見えます。

そして、だからこそ、反省を止めるのは「主義」ではなく、「実感信仰」しかないんだろうと。そう「実感」してしまっている以上、まずは、その自然の力に透明に基礎をおいて、目の前の現実に踏み出していこうじゃないかと。そうでない限り、私たち近代人の孤立は乗り越えられないし、人間の幸福や、落ち着きといったことも考えられないだろうと。

養老　まあ、僕の話は、そんな大げさな話じゃないんですけど（笑）、素直に日本人の無思想というか、世間の人の思想と繋がろうとしたら、「実感信仰」にいっちゃった。それはニヒリズムじゃなくて、むしろ、そこから何かが始まるというゼロ地点みたいなものなんです。

でも、それも結局、「死体」を解剖し続けた経験から来ているんですよ。「死体」って、生きてもないのに、そこに在ってね、それでいて「実感」の塊みたいなものなんです。医者でもあったサマセット・モームが書いているけど、解剖しているとき、自分が教科書で教わってきたのと、どうも神経の走り方が違う。それで先生呼んできて、「違うんですけど」って言うと、答えは「人とはそういうもんだ」って、これって「無思想」でしょ（笑）。

――なるほど。だから、その反対が、養老先生が出会ったというオウム真理教の学生なんですね。医学生であるとかないとか以前に、人が水の中で一時間耐えるなんてことはあり得ないことは分かっているのに、「麻原尊師」のことになると、それは可能だと。これもダブルスタンダードと言えばダブルスタンダードってことなんでしょうが、彼らは、要するに実感を無視していると。

養老　あれはショックでしたね、ほんとに。「俺、こんな学生教えてるのか」と思ってね、普通どっかで修正されるだろうと思っていたんだけど、ダメでね、「もう無理だ、教師は無理だ」と心から思った。こっちも、それ以上説得する気にもなれなかったしね。

でも、ダブルスタンダードってことで言うと、日本の科学者って、実は、みんなそうなんじゃないかって疑ってるんですよ。日本の学術界の一番根底にある問題っていうのは、そういうことなんじゃないかって。一体、日本の科学とか学術って、本当に世の中の現実と整合性持ってるのかっていう、科学者自身の生き方と整合しているのかっていうね。

江戸時代以前の学問なんかだと、「学問」というのは、その人の「生き方」そのものでしょ。中江藤樹でも、伊藤仁斎でも、本居宣長でもいいけれど、みんな「言行一致」を生きている。自分の「実感」を無視しなければ、学問は自ずと「生き方」になるはずなんです。

カフカとゲーテ

——そういう意味では、以前も話題に出たと思いますが、今の学問の世界は、カフカが描いた不条理世界みたいになってますね。

『変身』の主人公のグレゴール・ザムザは、ある日目覚めると「虫」(Ungeziefer＝正確には「有害生物」)になってるんですが、これなんかまさに、システム化した都市社会と、そんな都市社会に適応しきった家族のなかで、自分の「実感」を失ってしまった一人のセールスマン(ザムザは布地の販売員)の悲喜劇ですよ。カフカ自身、第一次グローバリズム下のプラハで保険外交員として生きていたわけですが、そんな世界の中で「生き方」を失っていく人間と、その不条理を描くカフカの世界は、今こそリアルですね。

養老　カフカの『変身』は、やっぱり引っかかるというか、記憶に残るんです。「なんで変身しなきゃいけねえんだろう」と。でも、「身体性」の視点から考えると、素直に分かるんです。ダブルスタンダードに耐え切れないと、みんな「虫」にされちゃうんだと（笑）。

でも、面白かったのは、プラハに行ったら、町の真ん中にカフカの銅像があるんですよ。それ見てたら、ガイドが「写真撮るか」って言ったついでに、「これを見てるやつは日本人が一番多い」って言うんだよ。カフカって、妙に日本で人気のある作家なんですね。フランス人がファーブル知らないのと似たようなもんで、カフカも、本国のチェコ人なんかより、日本人のほうに断然人気なんですよ。

そういえば、ドイツのゲーテもそうですね。東ドイツがあった頃に東ドイツの新聞に「ゲーテは日本人か」っていう記事が出たことあるっていうのは覚えてる（笑）。たしか、東京のどこかにゲーテ記念館って勝手に作った人もいたでしょ。

――東京北区の端っこのほうの西ヶ原っていう所にありますよね。何でこんな所にゲーテ記念館があるんだろうと思ったけど（笑）。

養老　やっぱり「自然」との関係なんでしょうね。ゲーテと言えば、みんな文学者だと思っているけど、実は「自然科学」もやってる。今で言えば、「科学」じゃないってことになっちゃうんだけど、植物や動物の「形態学」とか「色彩学」をやってい

ますからね。

──「形態学」と言えば、養老先生に通じていますね（笑）。

ゲーテも、養老先生も、「科学」と「文学」の境界領域で仕事されていますが、そう考えると、「こうあるはずだ、こうあるべきだ」という観念の世界（バカの壁）に固着してしまうのは、やっぱり、目の前にある「もの」を無視できる「文系」のほうなんですかね。

養老　**まぁ、それは「文系」に限ったことじゃないんだけど、昔思ったのは、「文系」って言うのは足元が危ういなと。哲学者っていうのは、みんな貧乏人だったから、基本、何にも持ってなくて、自分の思考しかない。でも、少なくとも僕は「死体」を持ってる。それで言うと、哲学というのは、どうも着地点が怪しいんですよ。だから、時々トランポリンの上でボクシングやってるみたいに見える。それも上手にやれば「芸」になるんだろうけど。**

犬も歩けば棒に当たる
――「先が見えないほう」を選ぶこと

――実は、文芸研究というのも一応「作品」を持っているんですが、僕が一番悩んだのは、「実証」と「解釈」のバランスの問題だったんです。

僕よりずっと前の世代だと、一つの作品を前に、それこそ作家の日記とか、彼らの住んでいた街とか、彼らの通っていた学校の成績表なんかまでを実証的に調べ上げて、「だから、この作品には、こういう意図がある」なんてやっていたわけですが、でも、それをやりすぎると、文学研究なのに、作品を読む経験から浮き上がった「実証主義」になりかねない。

それで、もう一度作品に向き合うべきだということで、今度は「テクスト論」が流行るんですが、ただ、これもやりすぎると、養老先生が言うように、一つの作品をめぐって、いかにアクロバティックな「解釈」ができるのかを競う文学オタクの遊びになってしてしまう。

でも、そんな遊びも、「ポストモダン」だの、「脱構築」だのといった大義名分というか、政治的な後ろ支えがあったから、遊べたようなもんで、それもバブルの余韻というか余裕がなくなってしまえば、一気に吹き飛んでしまうようなものでしかありませんでした。

要するに、実証主義も、テクスト論も、ある与えられた枠組みに居直ってしまえば、全ては、システム内のシニカルなゲームになってしまう。でも、やっぱり「文学」をやる以上は、「人は、いかに生くべきか」という問いに向かい合うべきで、その問いを失ってしまえば、マニアと研究者との違いはなくなってしまいます。価値への問いは、確かにシステム化することのできない営みだから「研究」には馴染まないんですが、でも、そんな実存の足場というか着地点への眼差しがなければ、それこそ「もの知り博士」になってしまいます（笑）。

養老　**よく人は「クリエイティブ」って言うけど、でも、その本当の意味は個性的なんてことじゃなくてね、自分の前に「先が見える道」と「先が見えない道」があったら、「より先が見えないほうを選ぶ」っていうことなんですよ。生きるって、そういうことなんです。**

でも、科学の世界が、その逆なんだよね。それこそ「路線」が決まってますから。アメリカなんかだと、ノーベル賞学者を出した教室は何度もノーベル学者を出すっていうんだけど、そんなの全然面白くねえと。その「路線」に乗ってりゃいいんだろうって話でしょ。

――先が見えている「路線」に乗るくらいなら、不安は大きいけど、自分自身の「やり方」を見つけたほうがよっぽど面白いし、そこに生き甲斐もあるじゃないかと。

養老 結果は問題じゃないんですよ。やってるときにどっちが面白いか。

――人は目的があって歩くんじゃなくて、歩きたいから歩くんですね。

養老 そう。犬も歩けば棒に当たる（笑）。

――それが「自足」して歩いていくということの意味だと。

養老 そういえば、大学を辞めると決めたとき、教授会の後で、みんなに辞めるって報告したんですよ。そしたら、内科の教授がやって来て、「辞められた後は、どちらか行かれるんですか」って言うから、僕は「いや、何にも決めてません。辞めてから考えます」って言った。そしたら、彼は「そんなことでよく不安になりませんね」って（笑）。

それで、こっちは、「先生、いつお亡くなりになるんですか」って聞いたんだよ。そしたら、「そんなこと分かるわけないでしょ」って言うから、「それでよく不安になりませんね」って言い返してやった覚えがある。でも、理屈で言えばそういうことになるでしょ（笑）。

——本当は、みんなそう生きてるはずなのに、自覚できてないんですね。

養老　自分の命日も分かんないのに、何を心配してんだよって。天気が良けりゃ外へ出て、昼寝をしないなら、虫探してね。天気が悪けりゃ仕方がないから、うちにこもって標本いじってね、それで十分充実しますから（笑）。

——若いうちから、そういうふうに心掛けてきたと。

養老　ただ、そこは、年を取ってきたということはありますよ。いまさら何をするって歳でもないし、「これでもういいや」っていうね。そこは、やっぱり若い人とは違います。

でも、若いときから、ずっと「生き方」については考えてきたのは確かです。生きるってことは「現在進行中」のことなんです。「結果」なんか考えてない。「解剖学」に進んだときだってそうですよ。「俺が解剖やったらどうなるの」なんて考えたことはない。ただ、解剖の作業をやってるときが、それこそ一番「自足」してたんです。医学部の勉強の中で、他の勉強をやっているときより、一番「落ち着いて」いられたんです、解剖やってるときが。

——福田恆存が「生き甲斐について」というエッセイを書いているんですが、そのなかで、「もし私に生き甲斐を解けと言ふなら、日々の楽しみについて語りたい」、それが「政治以外に生き甲斐を求め得る政治の原理である」と書いていて、本当にそうだなと。時代がどうあろうが、まずは自分自身が「自足」できる場所を確保しておくこと、それがあって初めて、「自立」した形で他者と関係する政治にも踏み出していくことができるんだろうなと。

養老　「自立」するためには、まずは「自足」のあり方から考えるしかないんです。だから、時間もかかるんだけど、そういうことは、昔から何も変わらないんですよ。

第六章

「一元化」し得ない世界のなかで

「会話」することの楽しさ——虫と文学

——養老先生は、「解剖学」や「虫」の研究をしているときが、一番「自足」していられるということだったんですが、そうすると、やっぱり、解剖学も昆虫学も、「近代科学」とは微妙にズレるということになるんでしょうか。

養老　今では、昆虫学は「科学」とは言えないでしょうね。というのも、今、みなさんが素直に「科学」としてイメージするのは、「実験科学」なんじゃないですか。それは、手塚治虫の漫画見るとよく分かる。手塚治虫が科学者を描くときというのは、実験室で白衣着て、棚にはフラスコがズラッと並んでるでしょ。それで、実験室のなかで「再現可能性」を求めて、必死に実験を繰り返している。それが、一般の「科学」のイメージでしょ。

——たしかに、さっき話に上がったゲーテの植物学なんかは、「科学」というよりは、一種の「形態学」に近いですよね。イタリア旅行で植物の多様性に触れて、それらを結び付ける「葉」、植物のメタモルフォーゼがそこからはじまる原器官としての

「葉」を発見するというか、ほとんど直観してしまうというのは、「科学的」ではありませんからね（笑）。

養老　だから、ゲーテは解剖学の先祖というか、考え方が解剖学的なんです。

――昆虫学も、多種多様な昆虫の形態を見てとって、そこから共通点を切り取ってきて、「お前は、そこに注目するのか」、「いや俺は、ここだ」とか、そういう議論を仲間同士でするのが楽しいんでしょうね。ときには譲れない解釈もあるし、喧嘩になることもあるかもしれませんが、そうはいっても、結局「虫」の話だし（笑）、最後はどっちでもいいだろうと。でも、そうやって会話してるってこと自体が楽しいし、瓢箪から駒も出てくると。

養老　そうそうそう、だから虫は、文学なんですよ（笑）。ゲーテは動物学と文学、どっちもした。

――そうか、養老先生が、解剖学や昆虫学の論文を書くと同時に、文学というかエッセイなんかを書いていらっしゃることの意味も、そう考えるとすごく納得いきますね（笑）。

実際、「ああでもない、こうでもない」と会話していること自体の楽しさを分かっていないと、やっぱり『バカの壁』みたいな本は書けないと思うんですよ。ただ、それでも、あれだけ読み応えのある本が、四百万部以上売れたっていうのは、奇跡以外の何ものでもなくて、実は僕はいまだに信じられていません（笑）。たしか、最近出た布施英利さんの『養老孟司入門』（ちくま新書）のなかで、あれは出した瞬間から売れ方が違ってたっていう話を読んだ記憶があるんですが、一体何があったんですかね…、ちょっと謎ですね（笑）。

養老 自分でも、分かんないね（笑）。僕は、あれはサバクトビバッタだって言ってるんだけど、乾燥して食べ物がなくなると、急に羽が長い子どもができてきて、突然バッタが増えて空を覆うんです（笑）。でも、その本当のところの理由は、よく分かんない。

複雑系とカオス

——『バカの壁』で、印象に残っているのは、「二元論を超えて」という最終章で、「壁」のなかだけに生きている人間は、結局、世界の多元性や、脳と身体の二元論が理解できない人間なんだと。ただ、その「壁の中のバカ」を、身近な言葉で言い換えられないかなと思ったんですが、「あっ、そうか、それは挫折を知らない人間なんだ」と思ったんですね。

普通、挫折によって、人は自分自身の視点を相対化する経験を持つんですが、それがない人間は、だから「自分は変わらない」という思い込みに囚われて、自己閉塞していく。僕自身もヒトのことは言えませんが（笑）、でも、「バカ」には、その「ヒトのことは言えない」という感覚そのものがないから、一つの教えに思考停止的に固着する「原理主義」に囚われていくんだと。それは、宗教的な原理主義から、硬直した新自由主義や財政再建主義、ウイルスの封じ込めを言う「自粛派」まで全部同じだなと。でも、人間社会は基本的に「複雑系」なので、それは結局、目の前の現実からズレて行かざるを得ないんですね。

養老　今、「複雑系」って言われたけど、現実の事象のほとんどは、まさに「複雑系」だから、一元的に解くことはできないんですよ。それを一番具体的で分かり易く示しているのが「カオス理論」。

「カオス」っていうのは、コンピュータが発達してきて初めて気がつかれたことなんですが、そのときコンピュータが何を対象として扱っていたかっていうと「天気図」だった。気圧とか、風向きとか、風速とか、いろんな細かいデータを入れていって、コンピュータに翌日の天気を予測させるっていう仕事をさせていたんです。

でも、あるとき異変が起こった。研究者がデータの半端な部分（0．0000…1のような端数）を切り捨てて、それでも大して変わらない天気図ができるだろうと思って飯を食いに行っちゃった。それで帰ってきたら、全く予想とは違う天気図になってたんです。

最初は、コンピュータが壊れたっていうふうに考えたんだけど、どんなにシミュレーションを繰り返しても同じ結果が出るんで、これはコンピュータが壊れたわけじゃないんだと。それで結局、数字を丸めたことに問題があったっていうことに気がつくんです。

つまり、初期条件ですね。初期条件をちょっと変えただけで、結果がとんでもなく変わるっていうことを見つけるんです。初めは信用されないんだけど、誰がやっても、やっぱり同じような結果になっちゃう。それで「カオス理論」っていうのが出てくるわけです。

——計算の精度が上がったから、「カオス」が見つかったというのが面白いですね。

養老　そう、コンピュータだから、途中の過程は全部論理的に辿れるんですよ。でも、未来を決定的に予測するためには、無限に精度の高い情報を初期条件として設定しなければならないから、そんなことはできるはずがないと。

しかも、こっちのコースに行くのか、あっちのコースに行くのかは、ほんのわずかの初期条件の違いで決まるとなれば、ますます予測は不可能でしょ。結果までのプロセスの論理は完全に追えるんだけど、どの時点でどうなるのかっていうことは予想できない。それが「カオス理論」なんです。

——まさしく、蝶の羽の一振りが、結果的に非常に大きなコースの変更をもたらしてしまうという「バタフライエフェクト」ですね。

養老　そうです。でも、大抵の事象はカオスを含んでるでしょ。だから、天気だけじゃなくて、経済や、社会のだいたいの現象は、予測がつくわけがないんだよ、論理的には。

もちろん、ある程度の当たりはつけられるけど、少し前に「接触八割削減」の話がありましたが、そのやり方が現実との接点を持てているのかどうかのほうが重要だと

言ったのはそこなんです。初期条件とか、変数をちょっといじっただけで、結果が大きく変わるなら、「この出口が絶対だ」なんてことは、それこそ絶対にあり得ない（笑）。

――本当にそうですね。ただ、「複雑系」の話を最初に聞いたときは、個人的には、もの凄くしっくりきたのを覚えています。というのも、人生そのものが「複雑系」ですから（笑）。

人は、よく「あのとき、あの人に出会っていなかったら……」なんて考えますが、まさしく、ちょっとした出会いのニアミスなんかで人生のコースが大きく変わっていたなんてことはよくあることで、それは経験的にも、素直に腑に落ちる話ですよね。それを科学的に精緻に言うと、「複雑系」とか、「カオス理論」とかいうことになるんだろうなと（笑）。

でも、逆に言えば、「接触八割削減」も含めて、それが分からない人が多いと言うことは、やっぱり、「人生の偶然性」についての自覚がない人が多いということなんでしょうね。

グローバリズムのウソについて
——「鎖国」のすすめ

養老：だから、少し前に言ったかもしれないけど、日本のメディアが、国際化とか、グローバリズムだとか言ってるのは、本当にどうしようもないことなんです。そもそも、複雑な世界を「一元化」できるわけがないんだし、「グローバリズム」なんていう言葉自体が、日本国内のお客だけに向けられた宣伝文句でしかなくて、それ自体がウソじゃないかと。アメリカ人が日本の新聞をとって読んでいると言うなら話は別だけど（笑）。

——おっしゃる通りです。しかも、その「グローバリズム」なんていう建前を本当に信じているのかどうかは分かりませんが、対米従属の事実を無視して、「トランプよ、グローバリズムの意義を忘れるな」とか言う新聞まであって、「いや、君らは正気か？」と（笑）。

養老　そのほうがみんな楽なんじゃないですか、周りも含めて。できるだけ頭の中の係数を固定しておいたほうが思考停止できて、本人からすれば考えなくて済むんです。

——たしかに。一元化の夢を見られてる限り、「バカの壁」のなかで安穏としていられますからね。でも、グローバリズムが、人間の現実に合っていない現実は変えられない。

養老　いまだに旧植民地なんかとの繋がりを大事にしていて、大英帝国をやっているイギリス人が、「英連邦」（五十四の加盟国からなる政治連合）のために「国際化」って言うならまだ分かるんだよ。でも、そうでないなら、「グローバリズム」なんてナンセンスでしょ。

だから、僕は自然科学が嫌だったんです。科学っていうのは、価値の基準そのものがヨーロッパの作りつけですからね。だから、いまだにノーベル賞が絶対なんです。何が価値であるのかなんて自分で決めればいいんで、そんなもの借りて来る必要は全くない。「誰が出してるんだよ」って、僕はいつも「スウェーデンだ」って答えてる。

——なるほど、「スウェーデン賞」とかに名前変えれば、幻想も薄まるんでしょうけど、「ノーベル賞」だと、いかにも普遍的な評価であるような気がしてきますね

（笑）。

養老　だから、最近よく考えるのは「鎖国」なんです。江戸だって長崎貿易で物流は保たれてたでしょ。問題は人の出入りだけど、それも止めようと思えば止められますよ。やる気がないだけです。いろんな抵抗があるだろうけど、やろうとすればやれるんです。実際、今回のコロナで、ある程度まで人の流れは止まったでしょ。

あと、そこが住みいいと思うから人が来るんなら、住みにくくすりゃいいんですよ（笑）。現に、最近は、５ＧとかなんとかＩＴ関係の技術で日本は、今、世界から完全に取り残されるので、もう誰も住みたくないって「逆鎖国」になりつつある。あとは防衛さえ手抜かりなくやってれば、世界からの余計な干渉も受けずに、いいんじゃないですか（笑）。

——なるほど。取り残される方向で、自然に「鎖国」ができると（笑）。

「ノイズ」を切り落とすことの退屈

——しかし、世界を一つの「原理」に還元していく「一元化」が、身体性を切り落としているということで言うと、『遺言。』のなかに凄く印象的な話がありましたよね。

ＣＤが出始めた当時、アナログのレコードを聞きなれた人たちが、なぜか「音に深みがない」とか、「音が薄っぺらだ」とかいってＣＤを否定しはじめたと。それで調べてみたら、実際に、当時のＣＤは、ヒトに聞こえる範囲以上の高い周波数は無用だとして除いてあった。でも、それこそ、音楽を耳との関係だけに還元して考える「一元化」の最たるものでしょう。「生の現実」に伴っているノイズを切り落とすというのは、先ほどお話にあった、冷暖房管理の「実験室」でネズミを飼って研究しようというのと同じ感性ですね。

養老　そう、それ、本当に面白くないんです。あれは、筑波大の大橋力さん（音楽家・生態学者）が調べた話なんですが、聞こえていないはずの高周波を加えて被験者の血圧を測定したら、高周波を除いた音を聞いたときと比べて、なんと血圧が上がっていた。

――実際に身体に影響が出たんですか。

養老　そう、だから音は身体（からだ）で聞いてるに決まってんですよ。もともと

「耳」という器官がそうでしょ。音を受け止めようとする身体から出てきたものなんだから。それを知って以来、僕、動物が「振動」を取るっていうことに関心が出てきてね。ネズミのヒゲっていうのは振動を取ってるんだけど、そのヒゲの論文をだいぶ書いたんです。

ネズミのヒゲの周りは特殊な構造をしてるんだけど、実際、ヒゲの根元に血液がたまっているんです。そういうヒゲを持っている人間はないから、そんなことみんな気にしないんだけど、それこそ、動物が身体（からだ）で「音」を取っている証拠ですよ。

ちなみに、男の人に生えている髭は、動物のヒゲと全くの別物で、あれは普通の毛です（笑）。哺乳類のなかで、振動を取るヒゲがないのは人間だけなんです。

――人間は、本当に「脳化」を加速してしまったんですね（笑）。

養老　ネズミのヒゲも猫のヒゲも、あれは実は感覚器なんです。それが振動系（vibratory system）になってるっていうのが、むかし僕が書いていた論文の一つ。トガリネズミで調べてたんだけど、あれだとヒゲが五百本あるんだよ。何でそんなにあるかっていうと、あいつらはエコロケーションといって、高周波出しておいて、その反射で外界を見てるから。だからコウモリと同じなの。たとえば、真っ暗な容器のなかに水を入れておいて、その真ん中に台を置いて餌を乗せると、ちゃんとそこ行くんだ、ポンッと。

——音の反射で、対象の大きさとか、そこまでの距離を測っているんですね。

養老　そう。でも、ネズミにも一応耳はあってね。まず中耳っていうところが十万サイクル以上の高周波に適応するようにできている。細かい振動を起こすと、三つの骨をつないでいった最後の骨がカタカタって動くようになっていて、それで音が伝わるという力学的な仕組みになっている。ただ、そうすると、低い音には中耳は動かない。

ところが、ネズミみたいなやつは地面這ってますからね、低周波って非常に大事になる。他の動物の足音とかね。それで、その低周波をヒゲで取ってるっていう推論をした。

——なるほど、高周波は耳で、低周波はヒゲで対応すると。音一つとってみても、それに多元的に対応しているんだから、外界全体への対応となれば言わずもがなですね。

虫のコミュニケーション

養老　音のことで言うと、最近、虫を見てて思うのは、絶対あいつらもコミュニケーションに音を使ってるに違いないと。「ミツバチのダンス」の研究でノーベル賞もらってるカール・フォン・フリッシュが有名ですけど、あれも虫のコミュニケーション論なんですよ。

——たしか、巣の仲間に「ダンス」で蜜の場所を知らせるんですよね。

養老　そう、「8の字ダンス」っていうのが有名なんだけど、もう一つのコミュニケーションがフェロモン、つまり虫が出す「匂い」ですね。この二つが昆虫のコミュニケーションとしてはよく知られてるんだけど、虫の音については全然研究されていないんです。

それで、虫の関節をよく見てみると、必ずギザギザしてる。脚でも手でも昆虫の関節はどこでもギザギザしてるんですけど、そこに虫は、時々ヤスリみたいな発音器を持ってるんですよ。カブトムシの幼虫も鳴くんですよ、地面の中で。

――ええ、幼虫が鳴くんですか。

養老 そう、おそらく発音器でコミュニケーションしているはずなんだけど、でも問題は聞くほうなんですよ。耳のある虫もいくつか分かってるけど、基本、虫は耳ないんです。

有名なのはセミですね。オスがあんなうるさいのにメスがどこで聞いてるのかが分からない。それでファーブルが実験をやった。セミが鳴いてる木の下で大きな音の大砲を打つんだけど、セミはびくともしない。それでセミは耳がないって。でも、それは違うんです。

耳がないからって、音のコミュニケーションをしていないとは限らない。出されている震動に対して、それを受け取る側がこういう震動をするっていう因果関係が分かれば、音でコミュニケーションしているってことを証明することができるんです。それで昆虫の関節を見るとギザギザしてるから、これ動かしたら音が出るなって。そうすると、ギザギザが全部ちがうから、虫のコミュニケーションも当然種類によって違ってくるよなと。

ただ、体のどこで受け止めているかもよく分かんないのもあるし、それを証明しようとすると、もの凄く面倒くさい（笑）。まず、虫の出す音を録らなきゃいけないし、その振動音を出して、受け取り側がそれで震えてるっていうのも証明しないといけない。

――関節で出している音を捕らえるのも大変ですが、それを受け取る側の振動まで観察して、その因果関係を証明するって、いや、気の遠くなる作業ですね（笑）。

養老　本当、そんなことをして何になるのかって（笑）。

虫好きな日本人

――そういう虫の研究なんかは、養老先生はどこに発表されているんですか？

養老　たとえば、「むし社」っていう出版社があって、そこから『月刊むし』っていうのが出てるから（養老先生、書棚から数冊の雑誌を取り出して来て、机の上に置く）。

――『月刊むし』って…、すごいですね。それ、月刊で出しているんですか。『クライテリオン』でさえ隔月刊なのに（笑）。

養老　**すごいでしょ（笑）。でも、虫専門の商業誌があるのは日本だけなんです。そういう意味じゃ、これこそ、れっきとした日本文化なんですよ。実際、海外なんかでは、ほとんど学術誌の扱いを受けていて、これは、大英博物館なんかにも置いてあるんです。**

僕が書くのは学会誌が多いけど、コガネムシなんかだと、こんなの出してる連中もいる（養老先生、書棚から、もう数冊取り出してきて机の上に置く）。

――コガネムシ研究会出版『KOGANE』ですか…。これは学会誌なんですね。

でも、これだけ虫を集めて、並べて、写真撮って、カラーで雑誌を作って、論文を書くとなると、すごいコストですね…、見ていると、なんか凄すぎて笑えてきます（笑）。

養老　笑うしかない（笑）。日本の文化ってすごいでしょ。これなんか、「世界のクワガタムシ」っていう特集なんだけど、それを日本で出している。どうして出せるかというと、これはバブルのおかげで、そのときに、世界中の虫の標本を日本人が買ってきたんです。

ちなみに、ヨーロッパの標本と、日本の標本の違いわかります？（養老先生、机の上に、ヨーロッパの標本の写真と、日本の標本の写真を並べて置いて見せる）

――うーん、よく見ると、ヨーロッパの標本のほうが少し雑な感じがあるのかな……。

養老　正解（笑）。この脚の揃え方を見てください、ヨーロッパの標本だと、ここまで揃ってないでしょ。もちろん、採ってきた虫は自然のものだから、片足がなかったり、爪がとれていたりするものもあるんだけど、日本人は、わざわざ、その欠けているところを補って標本にする。こんなアホなことをやっているのは日本人だけですよ。この几帳面さっていうか、この凝り方というか、何なんですかね、この文化は（笑）。

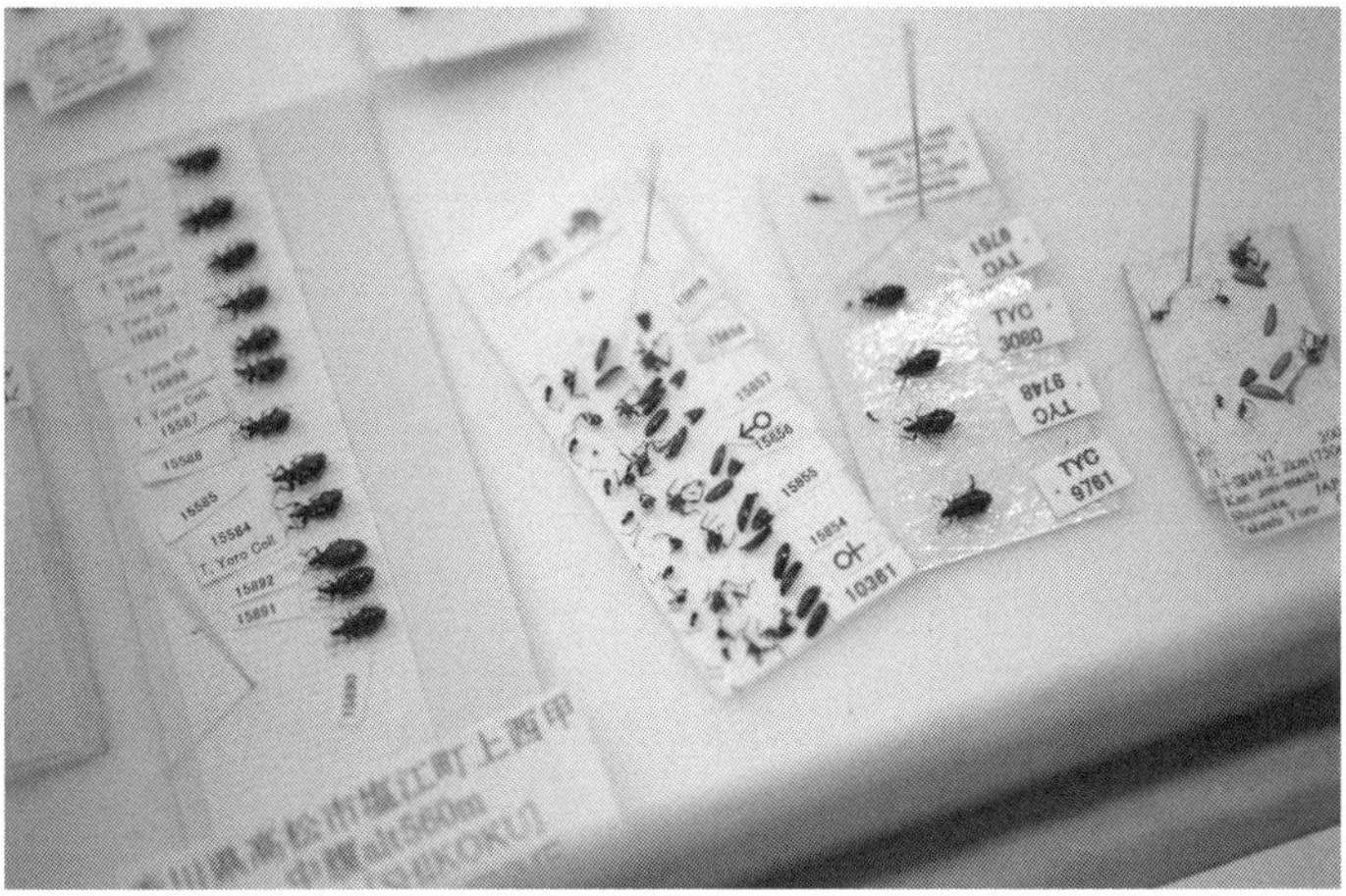

——確かに、日本の標本は、標本というより絵のようですよね。

養老　実際、円山応挙（江戸時代中期～後期の絵師）の蝶の絵なんて、今でも種類が分かりますからね。斑紋のディティールを、そのまままきれいに描いてる。だから、応挙の絵は、今でも図鑑なんかに使える。

でも、それをデフォルメして動かしちゃったのが伊藤若冲（応挙と同時代の絵師）。若冲は適当に作ってる。

——応挙の「写生」というのは有名ですが、文字通り図鑑レベルで正確なんだ。

養老　だから、これって「アート」でしょ。今、中国とか韓国なんかでも標本作りが盛んになってますけど、ここまでいかないでしょうね。「アート」は手間暇かかるんですよ。
でも、だから、外国人には不思議なんでしょう。何で日本人は、こんなに虫好きなんだって、アメリカから文化人類学者が調べに来たこともありましたよ（笑）。

――そう言えば、日本の古典に「虫めずる姫君」（『堤中納言物語』の中の一編）っていう物語がありますね。「人はすべて、つくろう所あるはわろし」とかいう変わり者の姫が、男の子たちに虫を取らせてきて、それを愛でて研究するっていう。
でも、そうか、そう考えると確かに日本人にとって「虫」っていうのは、縛われた世間的価値観から抜け出て、「自然」と遊ぶことのできる通路になっているんですね。

養老　今でも、女の子で芋虫好きなのって随分いますよ。鎌倉の、うちの近所に住んでた作家の柳美里がそうですよ。高校生の頃、肩の辺に芋虫乗っけて愛でてたと、自分で言ってる（笑）。
だから文学でも絵画でも、何でも日本人はよく虫を題材に使ってきたんでしょう。そういえば、今年、コロナが収まれば、京都の細見美術館で虫を題材にした日本の古い絵を展示する予定なんだけど、僕に一部屋やるから、好きな展示しろだって（笑）。

「地方再生」は地方の「自足」から

――日本人には虫好きが多いということでしたが、しかし、「自然」がなくなってくると、そこで培われてきた日本文化なんかも怪しくなってきますね。その意味じゃ、やっぱり東京一極集中はまずいんでしょうね。今、仕事がない地方から東京のほうに人が流れ出ていますが、それはひいては、日本人の文化（生き方）を根底から壊してしまいかねないなと。

養老　「里山資本主義」を言っている評論家の藻谷浩介が言ってたけど、日本の田舎、たとえば島根や鳥取っていうのは、純粋な人口密度で考えたらヨーロッパの平均なんだって。そういう視点にたてば、日本に過疎なんかないとも言える。世界的な基準でいうとね。

だからね、逆に東京がオーバーフローなんですよ。過密すぎるんです。その点、仕事がないって言われたけど、ヨーロッパ並みに考えれば、悠々暮らせるはずなんだけどね、本当は。

――そうか、東京が過密で仕事がありすぎるんですね。だから、地元から出て来ちゃうけど、仕事がないならないで、地元で仕事を作ろうとしますからね。

養老　そうそう。そういう必然性を作んなきゃいけない。ヨーロッパだと自給自足を実験的にやってる村があるでしょ。エネルギーから始まって、食糧は当然ですけど、最低の自給自足のあり方を考えたらいいんですよ。地方再生っていうのを考えれば、やっぱり地方の「自足」から考えていかなきゃいけない。そうなれば政府も要らねえよっていう（笑）。

実際、田舎に限らず、ヨーロッパの都市なんかでもそうですよ。イタリアのボローニャはもともとそういう自給自足の都市だった。ボローニャは晩年の井上ひさしが一生懸命行ってましたけど、あそこは国から金もらわないんですって。都市国家として自立している。

そう言えば、内田樹がだいぶ前に「廃県置藩」って言ってましたね。

――明治維新の頃の人口って言うのが三千万人くらいだと言われてますから、そう考えると、三万石以下ぐらいの規模でやっていた昔の小藩なんかは、今で言うところの「町」とか「村」のレベルで、一つの国をやってたことになりますよね。

養老　だから、日本の最大の問題は、田舎のアイデンティティが消えて、都市だけがもてはやされていることです。田舎に行くと爺さん婆さんまでが、コンビニで弁当買って食っている。これじゃ若い人だって、そんなところで生きていきたいとは思わないよ。

水が合う土地、合わない土地――鎌倉について

――僕自身は職場の問題で東京に住んでいるんですが（笑）、養老先生はずっと鎌倉にお住いですよね。東大で教えていた頃もずっと鎌倉から通ってらっしゃいましたか？

養老　忙しいときは、しょうがないから下宿してましたけどね。解剖って結構大変なんですよ。死ぬ人は時期を選ばないから、大みそかも正月も盆も暮れも関係ない。亡くなったっていうと、解剖用のご遺体は誰かが引き取りに行かなきゃいけない。そうすると、結局、東京にいないといけないということになる。鎌倉から東京までは、どんなに急いでも一時間以上はかかるんでちょっと不便、何か忘れたからって簡単に

戻るわけにいかない。

——ということは、忙しいとき以外は鎌倉にいらっしゃったと。

養老　やっぱり、東京苦手なんです（笑）。

——僕は、大磯にある福田恆存の墓を参るときは、ついでに小林秀雄の墓のある北鎌倉の東慶寺に行くことにしてるんですが、やっぱり、鎌倉は全く雰囲気が違いますね。

養老　観光地になってる場所っていうのは、何か雰囲気が違うんですよ。神社仏閣が多いっていうのは、やっぱり特別な雰囲気が必要。京都、奈良、典型ですけど、土地自体が何か宗教的な雰囲気を持ってるんです。

——街のいたるところに不要不急の「穴」があるって言う感じで（笑）。神社がその典型ですが、土地の真ん中に意味を超えた「穴」というか、霊を呼び寄せる「穴」みたいなものを持っているかどうかが、その街の雰囲気を作っているような気がしますね。そういう神社仏閣のある町と、それがない町とでは、その「息のしやすさ」が全く違いますから。

そもそも、僕らの存在自体が合理的なものではないので、やっぱり、意味や理屈を超えたものを中心に置いてる街というのは、その安心感が違うんでしょうね。

養老　神社仏閣もそうだけど、土地のパワーのようなものがあるんでしょうね。どこにいたら「自足」できるかっていうのは、それこそ「頭」じゃない。身体的な感覚ですから。この土地とは「水が合わない」とか「空気が合わない」とか言うでしょ、まさにそれです。

それで面白かったのは、日立製作所にいる小泉英明さんっていう研究者の話。彼が、小さい自分の子どもたちを連れて歩いてて、丘の高いとこへ上がって、「お前たちが、もし縄文人だったらどこへ住みたい?」って聞くんですって。そうしたら、子どもたちは「あそこ」とか「ここ」とか一応言うでしょ。それで調べてみると、必ず縄文の遺跡が出てくるんだって。

——凄いですね（笑）。それこそ子どもは身体感覚で言い当てるんですね。

養老　子どもでも分かる（笑）。

ただ、そういう身体感覚を今は相当バカにしているでしょう、東京とか大阪にあるテーマパークなんんか。でも、人集めるんだったら、縄文人でも分かる宗教的な雰囲気がやっぱりいるんじゃないですか。宗教そのもののことを言っているわけじゃないいんですよ、伊勢神宮を参拝したときに西行が歌った、「なにごとのおはしますかは知らねどもかたじけなさに涙こぼるる」っていうあれですよ。よく訳わかんねえけど、天皇制そのものじゃないですか（笑）。

――そうですね（笑）。むかしから文学者たちが自然と鎌倉に集まって来るのもそれかもしれませんね。養老先生ご自身は代々鎌倉でいらっしゃったんですか。

養老 代々ってことないですけど、おやじが結核の療養で鎌倉に来た。堀辰雄の軽井沢みたいなもんですよ。明治の頃、ヨーロッパではやった健康法が海水浴だったんです。それで砂浜があって海水浴ができるところに来る。海水浴と言っても、別にオリンピックに出ようと言うんじゃなくて（笑）、ただ海の水につかるっていうのが健康法だったんです。

それで別荘が多かった。それが関東大震災でいっぺんつぶれて、それをそのあと作り直していったときに、上流階級の別荘がいっぱいできてね、上皇后美智子妃を出した正田さんの別荘なんかもあったけど、もうなくなっちゃったね。ご本宅もなくなったようですが。

虫のいない世界について

養老　さっき土地の力を感じる身体感覚なんかを軽視していると言ったけど、それ以上に、今、僕がすごく心配していることがあって、それが虫がいないことなんですよ。今は春でしょ。鎌倉なんかだと、この季節に必ず出てくる虫がいるんですよ、それが全然いない。

——いつも出てくる虫が出てこないんですか。

養老　日本中の虫の好きなやつに声掛けて、その虫を見かけたら教えてくれっていうんだけど、「いません。ここ数年見てません」っていう。なんか分かんないところで自然に変化が起きてるなっていうのが分かる。ありふれた草食ってる虫で、普段なら、いくらでもいるんですけどね。それが出てこない。

——それは、凄く気持ち悪い話ですね。

養老　ただ、最近、こういうことは不思議でもなんでもなくなってきていて、神奈川県の三浦半島をドライブしてたときも、農家がやっているキャベツ畑を見たら、五

月なのにモンシロチョウが一匹も飛んでないんですよ。これ、異様な風景だったんだよね、私からすると。

というのも、その数年前にラオスに行って、そこにある一軒の温泉旅館に泊まったら、そこの主人が庭に思いつきでキャベツを植えているわけ。それで見てみると、そこには数えきれないくらいのモンシロチョウがいるんです。その記憶があったから、日本のキャベツ畑見たときに、もうこれは異常だと。よくこれで平気でいるよな、みんなと。

――都会にいると、そういうことには全く気づかないですね。

養老　昨日NHK見てたら、蜂も少なくなっているんだってね。それで、ハウスの中で育てている果物に受粉させるために、今や、農家は受粉機械をＡＩで作ってるんだって。

でも、それだけじゃなくて、蜂の代わりにハエなんかを飼うんですって。ハエも受粉するからね。受粉用のハエを選別して飼って、それを配ってるって人もいるらしい。

ただ、こんなことは、中国なんかだともう当たり前なんです。わざわざ人間が受粉してるんです。もともと放っときゃ勝手に蜂がやってたものを、今や、わざわざ機械を作って、ＡＩでやるって、そういう時代ですよ。ほんと、つくづくバカじゃないかって思うけど。

――まさに「ああすればこうなる」の極北ですね。でも、逆に言えば、それだけ「自然」に任せることが恐いし、「自然」を信頼できていないと言うことなんでしょう。それで、あれも必要これも必要って、ますます「自足」から遠くなっていくだけなのに。

養老　そうです。自分のなかで一番「暮らしやすい生き方」っていうことを一人一人が考えたら、こんな問題は起こんないはずなんです。でも、それができない。

「手入れの思想」再び――自然と伝統

――話が一回りしてしまうようですが、ここまで長い時間お話しさせていただいてきて、最後に改めてお聞きしたいと思ったのは、やっぱり、「自然」を信頼できなくなってしまった日本人の今後の問題です。

今、お話にあったように、日本人の自然への不信感というものは年々増してきているように思うんですが、まさに、今回のコロナ騒動で現れて来たのも、その不信感だったように思えます。それは、まさに、日本人が「死体」や「虫」や「身体」や「カオス」や「自然」など、「脳」や「意識」の外部にあるものとの付き合い方を忘れ、それらとの関係のなかに「自足」していく方法を編み出せなくなってしまったことの結果ではなかったかと。

テクノロジー管理の思想は、近代思想と同じくらい古いものですが、しかし、そんなコントロール思想の不寛容さ、一切の異物や偶然性（非合理）を許そうとはしない「脳化社会」の病理が、現実的に一気に噴き出してきたのが、今回のコロナ騒動ではなかったかと。

とすると、今後、私たちに必要な態度は、どういうものになるのだろうかと考えざるを得ないいんですが、最後に養老先生のお考えをお聞かせいただけるでしょうか。

養老 先にも言ったかもしれませんが、だから「手入れ」しかないいんですよ。コロナだって同じです。「自然」というのは、思いのままにならないものの典型だから、それを完全にコントロールするなんてことはできないと諦める。ただ、「自然」を放っておくわけにもいかないから、「手入れ」をして人工のほうに少し引っ張っておく。それで自然と人間とのバランスを均衡させておくんです。

これこそ日本人のバランス感覚だったはずでしょう。都市の人が、それを忘れてしまって、何でも透明化できるんだって思い込んでいるだけなんですよ。だから、そういう人は一度、田舎で暮らしてみればいいいんです（笑）。

――「手入れ」という発想は、特に高度経済成長以後にすたれてしまいましたね。目的を度外視して、ただとにかく「手入れ」していくという発想は、植物や動物を育てる農家、あるいは、もっと身近なところでも、子どもを育てる親とか、子どもを教える教師にとっては「常識」だったはずなんですが、現代でそれを言う人は、ほとんどいなくなってしまいました。

しかも、戦争もないし、人は病院で死んでいくので、生や死に対するリアリティもなくなってくるから、子どもたちは、ますます実感のない言葉のなかに閉じ込められていくと。

養老　だから、そこらへん、それこそ文学の出番なんじゃないんですか（笑）。

――そうか（笑）、ただ現代文学は「脳化社会」に毒されているので、いっそのこと「身体」がありふれている中世文学なんかを教えたほうがいいかもしれませんね（笑）。

養老　そういえば、『平家物語』が、中世の入り口を描いていますよ。最後のところに源範頼《のりより》と源義経《よしつね》が、平家の公達《きんだち》の首を持って帰ってきて四条の河原に晒すって言うんです。それに対して、後白河法皇の朝廷が「待った」をかける。「京の都で、それをやるのは、いくらなんでも野蛮だからやめろ」って。でも、源氏は、首を晒すことを強行するんです。僕はそれが中世も含めた「戦国時代」の始まりだって思っている。

要するに、朝廷のほうは、そういう「身体」に対してワンクッション置いて見てる

わけです。高度化した社会ですから。でも関東の武者たちには、そういうことは関心がない。大変な革命だったんだと思いますよ、京の都で生首晒すってことをやるっていうのは。

――まさに脳化された貴族社会の中に、身体が入ってくる話ですよね。

養老　**そうです。実に乱暴な形で入ってくるんです。**

――今のお話を聞いていて思い出したのは、唐木順三っていう文芸評論家が書いた『中世の文学』という本ですね。彼は、日本文学の美意識を、「すき（数奇）」と、「すさび」と、「さび」に分けて、それがどのように変遷していくのかっていう歴史を語っているんですが、養老先生の言葉をお借りすれば、それがそのまま「身体の文学史」になっている。

まず、「すき」なんですが、これは平安末期の鴨長明『方丈記』に見だされる。ただ、長明は出家しているので純然たる「すき人」とも言えないんですが、しかし、歌もやるし、琵琶もやるし、随筆も書くというので、やっぱり都会人の趣味を自分の支えにしていたと。

そして、時代が下って中世の戦乱期になってくると、今度は「すさび」の美意識が出てくる。「すさび」って「荒んでいる」ことなので、ほとんどニヒリズムなんですが、それゆえに単独的な批評性が加速されることにもなります。その象徴が吉田兼好の『徒然草』なんですが、しかし、これだけだと人はどうしても孤独な自己反省から抜け出ることができない。

そこで、道元禅師を通じて「心身脱落」の体験（悟り）が見出され、それを媒介にして世阿弥の能や、松尾芭蕉の俳句なんかによって「さび」の美意識が見出されていくんだと。

たとえば、道元禅師が「仏道をならふとは、自己をならふ也。自己をならふといふは、自己をわするるなり、自己をわするるといふは、万法（自然―森羅万象）に証せらるるなり」（『正法眼蔵』）と言ったわけですが、要するに、自分の「自立」の底に「万法」（自然）を見出し、その「自然」に照らし出される方法として、能や俳句が見出されてくるんだと。

養老先生の話をお聞きしてると、「すき」（趣味）も「すさび」（批評）も入っているんですが、最終的には「自然」に照らされる「さび」の世界があって、実は非常に伝統的な感受性が先生を支えて来たのではないかと感じることがあって。その点、小林秀雄や福田恆存の系譜に養老先生の言葉をおいてみたと言ったのも、その感覚があったからなんですね。

養老　少し前にも、仰っていましたね。僕には自覚はないんだけど（笑）。

――養老先生の場合、「自然」を見出す方法を虫や解剖学に見出している点が特異なんですが、これだけ近代化されてしまった世界のなかでは、逆に、そういう特異な体験を積み重ねていかない限り、伝統的な日本人の身体性を取り戻すことはできないのかなと。

養老　とくに戦後は、そういう伝統的なものってほとんど教育受けてませんからね。そういうものと繫がる感覚や、それにまつわる付録のようなものを全部落としちゃった。ただ、それでも、そういう伝統に対する親密な感覚は残ってるのかもしれない。女房はお茶ばっかりやってるけど、そういうのに特段違和感ありませんからね。箱根にも茶室作ってるし（笑）。

――伝統との親密感は、養老先生のなかにあると。

養老　違和感がないんですよね。やっぱり鎌倉で育ってるっていうのはあるかもしれない。子どもの頃からお寺の欄干走り回って遊んでましたから。別に有り難いとも何とも思ってなかったし（笑）。でも、それが返って良かったのかもしれない。伝統っていうのは、わざわざ有難がって触れるものじゃなくて、生きられているものですからね。

番外編

グローバリズムについて　コロナ禍を考えるために

コロナについて寄稿するように言われたが、それは最後に述べることにして、関連の事象と思われるグローバリズムについてまず書く。

第一章で私は新保守ではないかと訊かれて、はかばかしい返事をしなかった。思えばそう言われたのは二度目である。最初はBSフジに出たときで、番組が終わってから、反町理さんから、養老さんは新保守じゃないかと思いますけどね、と言われた。自分からそう標榜したわけではないのに、どうもそう見えるらしい。

自分が世間にどう見えるかは、さしあたりどうでもいい。ただコロナ問題が起こって、いわゆるグローバリズムへの風当たりはさらに強くなった。グローバリズムが消えるんじゃないか、とまで言う人がある。そこまで行くと、少し背筋が寒くなるが、確かに私はある意味で以前からいわば反グローバリストである。具体的にはそこが新保守と言われる理由かもしれない。むろんそれだけではないかもしれないが。

現代のグローバリズムについて、あんがい論じられないことがある。それが自然科学から波及したのではないか、という点である。自然科学はもともと普遍を主張する。物理法則は宇宙のどこでも、未来や過去のいつであっても成立する。ただしそんなことは実証できないから、これは思想ないし信念というしかない。その「思想」が実社会まで波及したら、グローバリズムになるのは必然であろう。それは必ずしも文科系の人が考える思想ではないかもしれない。自然科学ではむしろ具体的な方法論という形をとる。だから「科学技術」なのである。そのレベルになると、この「思想」がもともと実証されたものではないでしょ、という含意は忘れられ、単純化される。たとえば工学である。もちろんすべての工学者が単純に考えるというはずはない。たとえば東大の元総長だった小宮山宏さんは工学系だと思うが、人文科学の重要性を主張して、東大にプリンストン並みの高等人文科学研究所を創りたいと企画した。

いまは科学技術と一括されることが多いけれども、近年ではその「思想」が世界の実情を動かしてきた。それがついに政治経済にまで及んだのが、現在言われるグローバリズムであろう。つまりこれは狭義のグローバリズムである。

さらに歴史的背景として米ソの対立があった。その対立が軍事技術の進歩を誘い、そこから情報技術が進んだ。軍事技術は典型的な実学であって、そこに哲学なんか持ち込めるわけがない。こういうことができる、そりゃ都合がいい。そうなるに決まっている。だから可能となれば原爆や原発ができてしまうのである。あとからあれはまずかったんじゃないかと反省しても、もう遅い。哲学者の木田元さんが亡くなる直前に、科学技術に関する強い疑念を表明した書物を書かれた。

多くの哲学者はそれに確実に気づいていたし、たとえば科学哲学の分野では、科学は世界的に普遍的なものではないということは、日本でもほぼ常識に近かったのではないか。ただ日本の科学界が実情として狭義のグローバリズム一辺倒に近くなったのは、七〇年代からだと思う。具体的にはアメリカ流の研究方法が主流になり、それがいわば制度化されたことである。いま思えば、私はその時代に研究者として立とうと思い、仕事をしていたから、狭義のグローバリズムと衝突せざるを得なくなった。だから私の反グローバリズムは、ごく日常的で身近なものだった。

当時はグローバルとは言わず、国際化と言っていた。だから論文は英語で書く。書かなければならない。そんなこと、だれが決めたんだと思うが、諸般の事情を考えれば、そうするしかない。一例だが、私はそれに反抗しただけである。いまはどうでもよくなったから、虫の論文を英語で書いたりする。それは単に英語を母語とする知り合いが読めるだろうと思う親切からで、日本語で書いたって、翻訳機が進歩すれば問題はないであろう。グローバリズムが逆に私のローカリズムを技術的に可能にしてしまった。面白いことに、古臭い分類学では、国際規約として、新種の記載は何語を使ってもいいのである。英語で書けというのと、どちらが真のグローバリズムであろうか。この意味で、私は古臭い側、つまり広義のグローバリストである。

グローバルという「思想」的潮流でアメリカの科学が統一されていたかといえば、もちろんそんなはずはない。アメリカでもそうした傾向に疑問を持つ人は多かった。七〇年代のアメリカの社会、思想になにが生じたのか、私はそこに関心がある。現在の統計至上主義もそのあたりから始まっていると思う。むろんその難点を指摘する人は、アメリカにもいた。生物多様性という言葉は、その頃に対抗概念として創られたのである。でもアメリカ社会は産軍複合体と言われるくらいだから、支配的な状況がグローバル化、多国籍企業化へと動いてしまったのだと思う。

グローバリズムについて、かなり乱暴な議論をしたが、要は私の思う大筋を書きたかっただけである。技術と社会システムの結びつきは厄介である。システムによって、なにかが強制されてしまう。車社会が好例であろう。その欠点を言い立てたところで、社会的に成立してしまったものには巨大な慣性があって、潰せなくなってしまう。GAFAも典型である。そのシステムが基づいている「思想」は、いわば正統となり、無意識の前提に変わる。だから根本に戻って、私は意識中心主義の行き過ぎを論じる。汝、自らを知れ。ヒトとはなにか、常にそこに戻るしかないではないか。

それがコロナとどう関係があるのか。自分という視点から見れば、コロナは身体の問題で、身体を意識は必ずしも統御できない。そのくせ意識は自分が主人公だとまさに「頭から」思っている。コロナウィルスは身体に取り付くが、それへの対策は意識的である。その対策の単純さ、バカバカしさは、身体に対する意識のバカらしさを示している。一例を挙げておこう。網膜は世界の詳細を捉える。コロナウィルスの写真をテレビの画面でイヤというほど見たであろう。現代ではあそこまで詳細が見える。眼球から見てその網膜のいちばん内側、つまり光の通路には、網膜を栄養する血管が走っている。ところが光受容細胞は、いわば網膜のいちばん外側、眼球の壁のほうを向いている。光受容細胞からすれば、血管は光の来る方向、まさに目の前にある。血管は視線を遮っているのである。でもそんなものは一生見えない。外の世界は見えても「自分は見えない」のである。この盲目さ加減はスゴイというしかない。

ひょっとすると、コロナ禍がオリンピックの年に生じたのは、天の配剤かもしれない。オリンピックとは、意識の身体支配の象徴とも思われるからである。だからギリシャという都市社会から生じ、現代という都市社会で盛んになる。じつはその支配は単なる「つもり」に過ぎない。いや、つもりではない、事実だ。それを示そうとして計測するのであろう。百メートルを十秒で走った、というわけである。では選手たちはなにを追い、なにから逃げているのか。走るとは、追うか、逃げるか、元来そのためではないのか。追いつくか、逃げ切るか、以上終わり。何秒かかるか、もともとそれは無関係ではないのか。

百メートルを十秒で走った、それが事実だ、と思うのが現代人である。その事実はオリンピックという意識的な、つまり人為的な枠組みの中でしか意味を持たない。アマゾンにはいまだに外部との接触を避け、密林を放浪している部族がいるという。もちろん疫病を避けるためである。現代の「高度文明社会」における人々と、どこが違うのであろうか。その意味では私はグローバリストである。ヒトがすることは基本的に変わらないと思う、その意味で、である。大都会であろうが、アマゾンの密林であろうが、疫病を避けるためには他人との接触をできるだけ避けるしかない。逆に言えば、ウイルスという、生きものだか何だかはっきりしない、ヘンなものが存在するのは、生きものが互いに接触し、「遺伝情報を交換する」というシステムができてしまったからである。コンピュータウイルスはコンピュータというシステムがなければ存在しない。「高度情報化社会」にあって、コロナウイルスが猛威を振るうのは、なんともつじつまが合い過ぎている。足元を掬われるとは、このことではないか。

ウイルスは細胞における遺伝情報の複製機構を利用して増殖する。ヒトゲノムのおそらく三割がウイルス由来とされていることをご存知であろうか。脳という「情報システム」が優位を占める社会で、身体つまり遺伝子系の情報システムから横槍が入った。総論的に言えば、この二つの情報系をどう折り合わせるのか、そこでジタバタしているのが、現在のコロナ騒動ということになる。じゃあどうするかって、実際に生じていることを見れば分かるであろう。遺伝子のほうが基礎にあって、脳の作ったものが次に来る。だから脳が行き過ぎると、遺伝子つまり身体の反乱が起きる。ヒト一人、起きて半畳、寝て一畳、そっちが先だと思っていれば、あとはどうということはなさそうに思うのだが。労働生産年齢をとうに過ぎた老人の思いは、その程度のことである。

あとがき

養老先生との出会いの切掛けを作ってくれたのは、雑誌『表現者クライテリオン』のメールマガジンだった。

故西部邁先生が主宰されていた隔月刊誌『表現者』を引き継ぎ、四人の編集委員体制（藤井聡編集長、柴山桂太、川端祐一郎、浜崎洋介）で『表現者クライテリオン』が始まったのが二〇一八年。その最初の二年間は、宣伝も兼ねて毎週無料のメールマガジンを配信していた（今でも、雑誌掲載の文章を部分的に紹介する形で、無料メールマガジンは継続している—https://www.mag2.com/m/0001682353）。

が、そんなある日、メルマガへの返信のなかに、「養老孟司」と署名された応援メッセージがあることに気づく。「まさか」と思って読んでみると、その文章は、たしかに養老先生のものとしか考えられない。そこで、ようやく「養老先生からのメールだ！」と驚くと同時に、大変勇気づけられたのを覚えている。

しかし、驚くのはまだ早かった。実際に養老先生にお会いしてみると、まず、その「頭の柔らかさ」が、今までに会ったことのあるどんな人とも違っていた。専門的な話題でも、その軽妙なたとえ話に耳を傾けているだけで、自然に会話は弾んでいった。一つの話題に対して、瞬時に複数の解釈が語られ、さらにそこには、自分を突き放す「ユーモア」と、年若い相手を慮る「やさしさ」があった。

第一回目のインタビュー（第一章〜第三章／二〇一九年十二月十三日）を終えて、つくづく、「これが『バカの壁』に囚われない自由さというものか」と感動したのを覚えているが、しかし同時に、「どうやって養老先生は、この柔軟さを身に付けられたのだろうか」と考えることにもなった。しかし、その疑問を解く手掛かりは、コロナ後に行われた第二回目のインタビュー（第四章〜第六章／二〇二一年四月十五日）で、すぐに与えられることになった。

インタビューのなかで養老先生は、ご自身の専門である解剖について振り返りつつ、「死体」という「人間そのものの不気味さ」について語られていたが、それを聞きながら、私は「これかもしれない」と思ったのである。

人間の「知性」は、その生活の必要のために「不気味なもの」を「意識」の外に切り落とす。なかでも切り落とされてきたものが「死体」だろう。しかし、だとすれば、養老先生は、日々、そんな「不気味なもの」と付き合いながら、その「意識」が締め出す前の「あるがままの現実」に触れ続けてきたと言えはしまいか。

たとえば、それで思い出すのは、仏教の「不浄観」という修行である。この観念修行は、座禅を組んで、他人や自分の「死体」を思い浮かべようとするものだが、それは仏教者が、「あるがままの現実」を忘れないために編み出した修行方法だった。

一般には「九相図」などの仏教絵画が有名だが、腐敗によるガスで死体が膨張していく様子から（脹想）、やがて皮や肉が崩れはじめ（壊想）、脂肪や体液が流れだし（血塗想）、最後は骨だけになっていくまでの過程を（骨想）、一つ一つ思い描いていくのである。生きている人間は、いつか死ぬし、死ねば死体になって、死体は腐っていく。当たり前のことだが、ともすれば人は、この「現実」から目を背ける。

逆に言えば、だから「これが現実だ」と思い込んでいるものの大半は、こういう「不気味なもの」を押し隠して、自分に都合のいいものを寄せ集めて作ったイメージだということである。「不浄観」は、このイメージを「煩悩」として突き放すのだ。

が、これは仏教に限った話ではない。身も蓋もない戦場の「現実」に身を晒してきた武士も、同じように「死習」といわれる修行をしたと言うし、それによって「動揺しない心」を養い、真の「潔さ」と「強さ」を身に付けようとしてきたのだった。

果たして、養老先生が語る「自足」と「自立」にも、煩悩から自由になった人の「強さ」の感触がないだろうか。この「死」を介した煩悩（バカの壁）の突き放しが、そのまま再現可能性を目指してきた「科学」への距離を担保させ、世界を一元的に見渡そうとしてきたグローバリズムやＡＩへの距離を作りだし、一回性を生きる人間を見つめる思考を育んできたのではなかったか。

『蘭学事始』に話題が及んだとき、養老先生は次のように仰っていた。

〔『蘭学事始』を読んでみると〕玄白は見てるだけで、実際に解体をやっているのは被差別民だったことが分かる。これが肝臓、これが腎臓とかって蘭学者に教えているのを読むと、実地の解剖を医者に教えていたのは穢多なんだっていうことが分かるんです。その点、俺は被差別の仕事を引き継いでいるんだなと。やっぱり自分には、意識よりも、その実地で当たれる状況の方が大きいんですよ。〔中略〕だから、考え方が状況依存的なんです。だいたい嫌われるんですけどね、学者の中では（笑）――〔〕内引用者世間一般の「観念」から離れて、「実地で当たれる状況の方が大きい」という感覚をどこまで腑に落とすことができるのか。養老先生は、それが人間の「自足」と「自立」を、つまりは「自由」を守っていく道なのだと仰っている気がする。

最後になったが、この本に関わってくださった皆さん、養老孟司先生をはじめ、『表現者クライテリオン』の編集委員の皆さん――藤井聡さん、柴山桂太さん、川端祐一郎さん――、ビジネス社の中澤直樹さん、啓文社の漆原亮太さん、編集者の梶原麻衣子さん、写真家の佐藤雄治さんに、この場を借りて改めて感謝を申し上げたい。箱根の養老山荘での時間は、本当に充実したものでした。ありがとうございました。

二〇二一年八月十二日

浜崎洋介

初出

『表現者クライテリオン』 二〇二〇年三月号、二〇二〇年五月号、二〇二〇年七月号、二〇二〇年九月号、二〇二一年七月号、二〇二一年九月号

＜著者略歴＞

養老孟司（ようろう・たけし）

1937年、神奈川県鎌倉市生まれ。東京大学名誉教授。医学博士。解剖学者。東京大学医学部卒業後、解剖学教室に入る。95年、東京大学医学部教授を退官後は、北里大学教授、大正大学客員教授を歴任。京都国際マンガミュージアム名誉館長。89年、『からだの見方』(筑摩書房)でサントリー学芸賞を受賞。著書に、毎日出版文化賞特別賞を受賞したベストセラー『バカの壁』(新潮新書)のほか、『唯脳論』(青土社・ちくま学芸文庫)、『超バカの壁』『「自分」の壁』『遺言。』(以上、新潮新書)など多数。

＜聞き手略歴＞

浜崎洋介（はまさき・ようすけ）

1978年生まれ。日本大学藝術学部卒。東京工業大学大学院社会理工学研究科価値システム専攻博士課程修了。博士（学術）。文芸批評家。日本大学非常勤講師、『表現者クライテリオン』編集委員。著書に『福田恆存 思想の〈かたち〉―イロニー・演戯・言葉』(新曜社)、『反戦後論』(文藝春秋)、『三島由紀夫：なぜ、死んでみせねばならなかったのか』（ＮＨＫ出版）などがある。

AI支配でヒトは死ぬ。

2021年10月1日　第1刷発行
2022年1月14日　第3刷発行

著者　養老 孟司
聞き手　浜崎 洋介
発行者　唐津 隆
発行所　株式会社ビジネス社

〒162-0805　東京都新宿区矢来町114番地 神楽坂高橋ビル5F
電話　03(5227)1602　FAX　03(5227)1603
http://www.business-sha.co.jp

〈装幀〉齋藤稔（株式会社ジーラム）
〈装幀・本文写真〉佐藤雄治
〈本文組版〉朝日メディアインターナショナル株式会社
〈印刷・製本〉中央精版印刷株式会社
〈営業担当〉山口健志
〈編集担当〉中澤直樹

ISBN978-4-8284-2325-8